NE ME TUE PAS SI TU T'EN VAS
*est le quatre cent quatre-vingt-dix-neuvième livre
publié par Les éditions JCL inc.*

Catalogage avant publication de Bibliothèque et
Archives nationales du Québec et Bibliothèque et
Archives Canada

Lesage, Valérie, 1970-

Ne me tue pas si tu t'en vas

(Primo roman)

ISBN 978-2-89431-499-9

I. Titre. II. Collection : Primo roman.

PS8623.E835N4 2015   C843'.6 C2014-942123-0
PS9623.E835N4 2015

© Les éditions JCL inc., 2014
Édition originale : octobre 2014

Ne me tue pas si tu t'en vas

Illustration de la page couverture :

VALÉRIE LESAGE, *Satie*, 2014, acrylique

Les éditions JCL inc.
930, rue Jacques-Cartier Est, Chicoutimi (Québec) G7H 7K9
Tél. : (418) 696-0536 – Téléc. : (418) 696-3132 – www.jcl.qc.ca
ISBN 978-2-89431-499-9

Cet ouvrage est aussi offert en version numérique.

VALÉRIE LESAGE

Ne me tue pas si tu t'en vas

ROMAN

LES ÉDITIONS JCL

Nous reconnaissons l'aide financière du gouvernement du Canada par l'entremise du Fonds du livre du Canada pour nos activités d'édition. Nous bénéficions également du soutien de la SODEC.

Gouvernement du Québec – Programme de crédit d'impôt pour l'édition de livres – Gestion SODEC

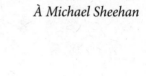

À Michael Sheehan

PARTIR

J'ai fait ma valise machinalement. J'ai fourré dedans des vêtements chauds et d'autres pour les jours d'été, des vêtements chics et d'autres pas tellement, mes affaires de toilette, des souliers, des bottes de marche et un imper, pêle-mêle dans les compartiments. Je fuyais Montréal parce que j'y étouffais. J'avais besoin d'aller voir si, ailleurs, je pouvais respirer un peu. Je partais au hasard, dans un pays que les Québécois ne visitent jamais, ce qui me donnerait l'impression d'être vraiment loin. Je partais seule. Enfin, j'espérais partir seule. Sans le fantôme d'André.

Dans l'aérogare, en attendant de monter à bord de l'avion qui me ferait fuir ma vie, j'observais les voyageurs. J'ai toujours été fascinée par le va-et-vient presque chorégraphié des gens dans les aéroports. Il y a ceux qui sont heureux de partir; généralement ils vont dans le Sud, dans un tout inclus; ils sont prêts, déjà, à enfiler les rhums et à porter des bermudas, même au mois de mars. Il y a ceux qui ont les traits tirés, l'air blasé; des gens d'affaires qui prennent trop souvent l'avion, qui perdent trop de temps dans ces lieux obligés. Il y a les amoureux qui se séparent et pour qui deux semaines d'éloignement paraissent un siècle, comme leurs adieux déchirants le crient tout haut. Il y a les jeunes familles, stressées, qui doivent déployer des trésors de débrouillardise pour trimballer le bébé, le petit de trois ans, la poussette, les biberons et mille autres machins. Il y a les familles qui viennent accueillir un parent; larmes de joie, étreintes, sourires émus. Il y a les gros et les minces, les beaux et les laids, les chics et les hippies, les bourgeois et les ouvriers, les accents d'ici et ceux d'ailleurs, qui s'entremêlent comme des couleurs désunies.

Je ne me reconnais dans aucun groupe. Je suis seule, il n'y a personne pour me dire au revoir, je ne sais pas quand je reviendrai, je ne vais ni dans le Sud ni en voyage d'affaires, je pars pour me perdre, pour vider ma tête de tout ce qui me pèse, je n'ai envie de parler à personne. J'ai mon iPod pour faire obstacle aux conversations non désirées et, dedans, de la musique triste parce que je n'arriverais pas à écouter autre chose, même si ça ressemble à se complaire dans la douleur. J'ai le cœur si lourd que l'avion risque d'avoir du mal à décoller. Alors, je ne vois pas comment je pourrais écouter le joyeux Charles Trenet ou quelque autre insouciant qui renvoie aux autres sa bonne humeur en pleine face.

Après les six heures d'avion jusqu'à l'aéroport de Paris, il faut changer de terminal et monter à bord d'un autre appareil qui me transportera jusqu'à Oslo, une ville avec un joli nom, où je n'avais jamais pensé aller avant de partir sur un coup de tête. Mes proches ont peur pour moi, ils n'aiment pas l'idée que je sois loin d'eux dans un état pareil. Ils ont peur que j'aille rejoindre André. C'est un des voyages possibles, mais, ma destination officielle, ce sont les îles Lofoten. Je les ai vues dans un reportage à la télé l'autre jour et j'ai décidé d'aller jusqu'à elles, au bout du monde, au-delà du cercle polaire.

Avant, il y a Oslo. Le taxi qui me conduit de l'aéroport jusqu'à mon hôtel au centre-ville traverse des collines et des forêts d'épinettes pareilles à celles du Québec. J'ai l'impression d'avoir volé en vain pendant des heures et je déteste l'idée d'avoir fait du surplace. Je veux me sentir dépaysée, oublier tout ce que je connais ou presque, faire table rase. Mais le paysage se dresse comme un obstacle.

Heureusement, il y a tous ces mots sur les affiches qui me sont étrangers. Et puis, ici et là, un toit vert avec de l'herbe haute dessus et le vent qui la fait onduler.

Le décalage horaire et la fatigue du voyage devraient me permettre de dormir, dans ma petite chambre d'hôtel anonyme, la moins chère que j'aie pu trouver dans la capitale norvégienne. Mais je n'arrive pas à fermer l'œil. Je vais donc dans les rues du centre-ville d'Oslo, me promener au hasard en me baignant ici et là dans la foule animée de ce dimanche après-midi. Je mange un poisson sans goût accompagné de fades pommes de terre bouillies dans un restaurant presque désert, seulement parce que je dois me nourrir. Plus tard, le sommeil me gagne enfin. Demain, je reprendrai mes errances dans la ville.

Je ne fais que marcher dans Oslo. Je vais partout

où *Lonely Planet* me guide et même ailleurs. Je me remplis de nouvelles images pour essayer d'oublier celles de mon imagination. Un avant-midi, je vais au musée. Les touristes s'agglutinent devant les tableaux d'Edvard Munch, et moi, j'attends qu'ils partent pour m'en approcher. On ne peut pas rencontrer *Le cri* dans une foule. Moi, je ne peux pas, en tout cas. *Le cri* m'appelle seule parce que, *Le cri* aussi, il est tout seul. Je me reconnais dans la douleur de sa solitude, même si ma douleur à moi est emmurée dans le silence et qu'elle implose.

Je suis happée par *Le cri* et son explosion. Je monte le son de mon iPod, parce que le tableau commence à enterrer les notes tristes qui doivent m'isoler des bruits du drame. Dans *Le cri,* je vois et j'entends André avant la mort, le visage tordu, la voix étranglée. Je le vois les mains sur les oreilles, désemparé, désorienté, décomposé. En rouge et bleu. Je l'entends hurler au secours et c'est insupportable, parce que je n'étais pas là pour lui tendre la main quand il en a eu besoin. Je n'étais pas là. Comment ai-je pu ne pas être là pour le ramener à la vie?

Je suis hypnotisée par *Le cri* même si le regarder en face est insoutenable. Il faut que j'arrive à me séparer de lui, sinon il va m'aspirer.

Ce sont les touristes qui me délivrent sans le savoir. Un nouveau troupeau d'Américains arrive, m'éloigne du tableau et un petit peu de mes tourments. Je cède la place à ces personnes qui semblent aborder les œuvres d'art comme les vitrines des magasins et je continue à déambuler dans le musée sans que plus rien ne me touche. Qu'est-ce qui pourrait bien m'atteindre après cet art de l'extrême?

Le soir, je marche jusqu'au bout de la ville. Je me rends au parc Vigeland. Je cherche la forêt de sculptures de Vigeland à travers les arbres et les clairières, et, quand je la trouve enfin, immobile comme les stèles, c'est pourtant la vie qui semble faire la fête. Il y a des hommes, des femmes, des enfants et plein de bébés. Les bébés, c'est rare en sculpture, sauf dans les bras des femmes. Des bébés tout seuls qui rient le regard au ciel et qui se tiennent à la hauteur des oiseaux, je n'en ai jamais vu. Des bébés qui s'accrochent au corps d'un homme exaspéré et qui harcèlent l'adulte avec tous leurs besoins à satisfaire, c'est une représentation de la parentalité dont l'audace me secoue.

Partout ici, il y a la vie qui danse dans des statues de bronze, alors que, moi, je suis un corps de chair qui bouge avec l'impression d'être mort comme l'hiver. Je reste dans le parc pendant des heures à regarder la vie dans une série d'arrêts sur image. Je tourne autour des images, je m'emplis d'elles, je m'empiffre comme une boulimique. Si je faisais une indigestion d'images, peut-être que j'évacuerais aussi les horribles, celles qui me hantent dès que je ferme les yeux.

Je m'arrête dans une pizzeria chic de la banlieue cossue. Je ne reste pas une seconde de plus qu'il n'en faut pour manger et payer la note, salée, comme toutes celles qu'on reçoit dans ce pays, semble-t-il. Ensuite, je reprends un peu au hasard ma longue marche vers mon hôtel. Je me perds dans les avenues résidentielles, où règne un calme presque suspect. Mais c'est bientôt le solstice d'été et le soleil d'Oslo veille jusqu'à vingt-trois heures, alors je peux me perdre sans crainte d'être prisonnière de la noirceur. Je fais plusieurs détours, mais je finis par retrouver le château et il ne me reste plus qu'à suivre la longue avenue Karl Johans Gate pour rentrer.

J'avance sur le chemin qui mène de la richesse au désespoir, du palais royal à la gare de toutes les misères. Le soir, près de mon hôtel, il y a les putes et les drogués, plus discrets et moins nombreux que dans toutes les villes que j'ai connues, mais pas différents des autres. Avant, ils m'auraient fait un peu peur, mais plus maintenant. Il peut bien m'arriver n'importe quoi, je m'en fiche; de toute façon, on ne peut pas tuer quelqu'un deux fois et je suis déjà morte en dedans.

Je rentre dans ma chambre beige comme la déprime et me déshabille en me regardant dans un miroir égratigné, comme pour m'assurer que j'existe encore. Je ne me reconnais plus. J'ai des cernes géants et le regard éteint, la peau grise et les cheveux ternes. J'étais belle, avant, quand j'étais vivante. J'étais en couleurs. Peut-être que je devrais me maquiller demain pour éviter de faire peur aux autres, pour donner l'illusion que je suis comme eux, pour jouer la grande comédie humaine.

J'ai tellement marché que je suis épuisée. Je voulais m'esquinter, rendre mon corps plus fatigué que mon esprit parce que c'est la seule façon de dormir.

Le lendemain matin, après une nuit agitée, je mets du rouge sur mes lèvres, mais c'est vermeil trop voyant, trop contradictoire. Je l'enlève et je mets du maquillage camouflage. Pour cacher les cernes et la peau grise, mais rien qui paraisse coloré. Je suis moins laide qu'hier.

Aujourd'hui, je vais vers l'eau. Je m'avance près du fjord et regarde les navires qui glissent sur les flots bleus. Il y a plein de bateaux de croisière à Oslo. Des dizaines de milliers de gens débarquent des hôtels flottants qui voguent d'une capitale nordique à une autre. Je passe la journée devant le défilé des touristes papillon qui butinent de fleur en fleur sans jamais les savourer.

À l'heure de l'apéritif, je m'assois sur une terrasse près du quai. Quelques minutes s'écoulent, regard lointain, et après, un homme beau et élégant s'adresse à moi. Je lui fais signe que je ne comprends pas le norvégien. Il demande alors en anglais si je suis américaine. Quand je lui réponds que je suis canadienne, il paraît surpris. Il demande s'il peut s'asseoir avec moi; j'accepte avec une certaine indifférence.

Il s'appelle Georg. Il y a une infinie douceur dans ses yeux noisette et je ne sais pas ce qui lui donne envie de manger avec une inconnue qui porte la mort dans l'âme. La mort, d'habitude, fait fuir les autres.

— Vous avez l'air triste, me dit-il gentiment.
— Je sais.
— Vous êtes venue faire quoi, à Oslo?

— Je ne sais pas…

— Oublier quelque chose, peut-être? demande-t-il en sourcillant, l'air étonné.

— Je ne crois pas que je puisse oublier… M'éloigner de ma peine, peut-être.

— Vous avez perdu quelqu'un? ose-t-il encore du bout des lèvres.

Il est curieux, ce Georg. Mais, étrangement, d'une curiosité pudique, respectueuse; compatissante aussi.

— J'ai perdu mon amoureux. Il est mort, il y a un mois.

— Oh! Je suis désolé… vraiment. Comment est-ce arrivé?

— Suicide.

— Je suis encore plus désolé… Vous devez vous sentir très seule…

— Comme jamais. Seule et coupable.

— Il ne faut pas se sentir coupable.

— J'aurais pu l'aider à vivre; je n'y suis pas arrivée.

— Vous le saviez suicidaire?

— Non, enfin… Je ne sais pas… C'est difficile à dire. En tout cas, je le savais dépressif, oui.

J'ignore pourquoi je fais ces confidences à un étranger. Mais Georg a quelque chose de pénétrant dans le regard et je ne peux pas détourner ses questions, encore moins mes réponses. Devant sa perspicacité, je me sens transparente et toute tentative de fuite semble vaine. Il y a des gens avec qui la vérité est la seule avenue.

Georg finit par me dire qu'il est psychiatre et que sa pratique est orientée spécifiquement vers les personnes suicidaires. Hasard, ou coïncidence?

Son travail, c'est de les aider à vivre, c'est de leur faire voir que la mort n'est pas la solution pour mettre fin à leur souffrance. Parfois, il réussit; parfois, il échoue. Aujourd'hui, il est en congé, mais il tombe sur une endeuillée du suicide, le pauvre. Il doit avoir terriblement envie de me fuir pour trouver plus joyeux.

J'ai du mal à recevoir son attention. Je me sens si brisée et si vide que je ne vois pas ce qu'il y a d'intéressant à être en ma compagnie. Je voudrais décider à sa place et m'écarter.

Je lui demande comment il parvient à côtoyer chaque jour des gens prêts à inviter la mort, comment il fait pour ne pas se laisser aspirer par leurs noirs desseins. Il m'explique que, dans son hôpital, une personne qui a des idées suicidaires n'est jamais renvoyée chez elle sans être jumelée à un infirmier ou à un médecin avec lequel elle fait un pacte de vie. Cet infirmier ou ce médecin devient une sorte d'ange gardien, la preuve vivante qu'il est faux de penser que personne ne se soucie d'elle. Mais parfois, l'ange gardien, tout angélique qu'il soit, voit une vie s'achever trop tôt, et alors, c'est lui qu'il faut aider.

Le boulot des anges pèse mille tonnes. Comment garder une saine distance quand vous êtes les ailes de ceux qui tentent d'aller au fond pour se noyer? Comment éviter les pensées destructrices quand vous n'avez pas réussi à garder l'autre à la surface, quand vous n'avez pas su plonger, lui donner la main, le ramener respirer hors des flots?

Georg reconnaît que son travail est lourd, mais qu'il est généralement valorisant. Depuis quelques années, il voit de plus en plus de gens reprendre goût à la vie après avoir flirté avec la mort. J'imagine qu'il faut faire une sorte de froid calcul: huit vies sauvées, deux vies perdues, et voilà, le bilan est positif. Mais comment empêcher que les deux morts ne prennent toute la place dans votre esprit? Les relations d'aide sont paradoxales. Il n'y a pas d'aide possible sans empathie et c'est précisément l'empathie qui risque d'anéantir celui qui porte secours.

— Qu'est-ce qui vous a donné envie d'approcher les suicidaires?
— Mon ex-femme.
— C'est-à-dire?
— Elle était suicidaire.
— Elle est morte?
— Non. Nous avons divorcé.
— C'est là qu'elle a voulu mourir?
— Avant aussi.
— Vous vous êtes senti coupable?
— Très souvent, oui. Mais il ne faut pas.
— Mais comment savoir si c'est de la frime ou pas, les menaces de suicide?
— On ne le sait jamais avec certitude. C'est bien le problème…

Le regard de Georg se couvre d'une tristesse passagère; il fuit à gauche, sourcils froncés. Après un court silence, il ramène ses yeux dans les miens et sourit. Il me demande si j'ai envie de manger avec lui. Pourquoi pas, après tout?

Georg pose toutes sortes de questions sur le Canada, moi, quelques-unes sur la Norvège. Je lui raconte que je prendrai le train pour Bergen le surlendemain et que, de là, je m'envolerai vers Bodø, où je pourrai monter à bord du traversier qui m'emmènera aux îles Lofoten. Il me dit que beaucoup de Norvégiens y vont en voyage de noces; une information qui ajoute à ma déprime. J'espère ne pas rencontrer trop d'amoureux en lune de miel sous le soleil de minuit. Je n'ai pas envie de voir des couples romantiques remplis de l'arrogance de ceux qui pensent que la vie est belle.

Georg tente vraiment de m'éloigner de mes soucis. Sa gentillesse m'étonne. Il tient même à payer l'addition et je suis un peu gênée devant autant de sollicitude. En plus, il me ramène jusqu'à mon hôtel dans sa BMW, prétextant que les alentours sont mal fréquentés.

Depuis la chute de l'URSS, m'explique-t-il, la drogue a fait son chemin jusque dans les pays nordiques, auparavant assez peu touchés par cette calamité qui rime avec vols, violence et prostitution. En Norvège, comme partout ailleurs sur la planète.

La veille, j'avais marché tard le soir jusqu'à l'hôtel sans ressentir la peur, même si j'avais croisé quelques silhouettes inquiétantes. Là, en écoutant Georg craindre pour ma sécurité, je ressens le besoin de me montrer plus méfiante et prudente.

Il me tend sa carte professionnelle, sur laquelle il y a son numéro de portable. Il dit que je peux l'appeler n'importe quand et que, si j'ai envie d'une visite guidée d'Oslo, à mon retour des îles, il se fera un plaisir de me faire découvrir quelques trésors cachés de sa ville.

Il me souhaite bon voyage et on se serre la main. Il garde ma main dans les siennes un instant, plonge ses yeux compatissants dans les miens et me dit de prendre soin de moi. Mon regard s'embue. J'ouvre la portière et je sors promptement de la voiture pour m'engouffrer dans mon hôtel minable. Je n'ai pas envie d'étaler mes larmes.

Je verrouille la porte de ma chambre, défais le couvre-lit usé et m'assois sur les draps. Je m'aperçois dans le miroir rectangulaire posé sur le mur d'en face et fonds en larmes sans pouvoir m'arrêter. André me manque terriblement. Qu'est-ce que je fais ici sans lui? Qu'est-ce que je ferai de ma vie sans lui? Je me roule en boule dans les draps; la froideur du coton sous mes doigts me fait regretter plus vivement la chaleur et la douceur de la peau d'André. Je voudrais y déployer mes mains qui n'ont plus pour elles que la masse inanimée du tissu froissé.

Je finis par m'endormir sur mon oreiller mouillé et je décide, le lendemain matin, de devancer mon départ en train vers Bergen. L'immobilité m'est insupportable, j'ai besoin de fuir plus loin encore. Rester un jour de plus à Oslo, c'est laisser l'espace à plus d'affliction parce que j'ai l'impression d'avoir déjà vu tout ce qu'il y avait à voir dans cette petite ville. Sans nouvelles images pour remplir ma tête, les vilaines reviendront au galop. Elles ont déjà hanté ma nuit.

BERGEN

Me voilà donc encore assise au milieu d'un troupeau de voyageurs, mon iPod collé sur les oreilles, la voix fragile de Neil Young qui combat le bruit du train. J'ai pris le trajet le plus long, le tracé panoramique qui donne à voir les montagnes et les fjords. Je pourrais m'arrêter en chemin, dormir dans une vallée carte postale au bord des eaux émeraude serties d'éclats de soleil, mais j'aurais l'impression d'être prisonnière au fond d'un trou. Il me faut des horizons ouverts, sinon je crois que je paniquerais. Il vaut mieux continuer jusqu'à Bergen, où j'ai pu réserver une chambre dans le vieux quartier.

Bergen m'accueille dans son manteau gris, celui qu'elle porte le plus souvent, car c'est une ville pleureuse trois cents jours par an. Les nuages sont si paresseux qu'en après-midi ils dorment encore sur les montagnes qui font dos à toutes les maisons aux façades tournées vers la mer invisible. Je me sens en phase avec ce brouillard et cette bruine qui tombent, mais pas avec les gens de l'endroit, qui trouvent la force de combattre le temps chagrin. Ils mettent de la couleur sur les murs : jaune soleil, rose pâle, rouge vif, bleu ciel, vert menthe. De la gaîté pour narguer la grisaille. Et des fleurs, des cascades de fleurs : géraniums, pétunias, hémérocalles; des jardins et des pots comme des explosions de couleurs pour chasser la déprime. La mienne résiste à tout.

Ma chambre est belle; rideaux blancs et murs vert-de-gris. Au moins, ils n'ont pas l'insolence d'aller contre mes états d'âme, alors je reste là. Je n'ai pas envie de sortir; je serais comme une somnambule. Je n'ai plus la force de marcher, de voir, de me saouler d'images. J'ai seulement envie d'un lit, de calme, de solitude. Je pose mon corps recroquevillé sur les draps et me couvre de l'édredon blanc comme un nuage. Je reste là longtemps, sans dormir, et mes larmes finissent par imbiber la taie d'oreiller. Encore.

*

André s'est pendu. Dans le garage chez son ex-femme, pendant qu'elle travaillait et que son fils jouait à la garderie. Mon bel André s'est pendu. Au bout d'une rallonge électrique orange attachée à une poutrelle d'acier. Il s'est pendu pendant que, comme sa femme, je travaillais. À cette heure-là, treize heures trente selon les policiers, je plaidais au palais de justice. À cette heure-là, j'étais trop prise pour penser à lui. Pourtant, on s'aimait à la folie.

Comment peut-on se donner la mort quand l'amour est là, quand l'amour rend ivre de bonheur, quand l'amour rend les nuits plus belles que les jours, quand l'amour donne envie d'embrasser l'humanité entière, quand l'amour doit vous rendre plus fort que tous les soldats du monde? Comment se donner la mort quand l'amour invite la vie? Comment abandonner un fils et une amoureuse? Il a trois ans à peine, le petit Pierre-Luc. Et nous, André? Nous, on avait tout juste neuf mois. Neuf mois et toute la vie devant nous. Tu disais que j'étais la femme que tu attendais, celle que tu pensais ne jamais trouver. Enfin, j'étais arrivée dans ta vie. Et toi, dans la mienne.

Je t'avais trouvé, à trente ans, après des dizaines d'aventures sans lendemain, après trop de relations décevantes et de désespoirs successifs.

André s'était marié avant de connaître le grand amour, pensant qu'il n'existait que dans les livres. Et, un jour, il y avait eu notre rencontre et la preuve par mille qu'il s'était trompé.

Tu n'avais pas le droit, André, de partir comme ça. Tu n'avais pas le droit. Il ne fallait pas, non… Tu as tué tout le monde autour de toi. Je suis morte vingt-quatre heures après toi, quand j'ai su.

*

Je n'ai jamais cherché l'amour d'André. Il est venu à moi, au pas de course, à la vitesse d'un sprinter.

André était avocat lui aussi, mais à la défense. Je n'ai jamais plaidé contre lui, mais je l'ai déjà vu en plaidoirie et j'avais admiré son éloquence, son calme et son respect envers la justice, ce qui signifie aussi envers ses adversaires. J'aimais sa politesse et son humilité, authentiques chez lui, alors que feintes chez la plupart des avocats.

On se croisait au palais de justice. Après bien des « bonjour! » un peu timides, un matin, un de ses collègues a fait les présentations. Ensuite, j'ai remarqué qu'André me suivait parfois, dans des zones où normalement il n'aurait pas eu affaire. J'étais amusée par ses tentatives à demi discrètes de me croiser. Un peu avant Noël, il y a eu une fête à laquelle nous étions tous les deux. Nous avons conversé pendant plus d'une heure. Il ne m'a jamais caché qu'il était marié et père. Je le trouvais séduisant, mais je savais qu'il n'était pas disponible. Aussi, je ne m'autorisais pas à imaginer autre chose que des rapports polis et superficiels entre nous. De toute manière, j'avais les idées vaguement ailleurs, car j'éprouvais un certain attrait pour un autre homme.

Quelques semaines plus tard, alors que je marchais comme un automate vers une station de métro à la fin d'une longue journée de travail, André m'a gentiment offert de me raccompagner chez moi en voiture. J'ai d'abord refusé, mais il a insisté. En chemin, il a proposé qu'on aille prendre un verre. Je le sentais nerveux, un peu inquiet, préoccupé ou légèrement triste, je ne sais trop, mais j'ai pensé qu'il avait besoin de parler à quelqu'un. Comme je n'avais pas précisément envie de rentrer seule chez moi et que, malgré tout, sa présence me troublait, nous nous sommes retrouvés devant un verre de rouge, au bar. Et puis deux et trois…

Lentement, ce soir-là, l'impression inexplicable que j'étais à côté de l'homme de ma vie est montée en moi. J'étais subjuguée, enveloppée par son charme et sa douceur, attirée par la sensualité gourmande de ses lèvres, envoûtée par son parfum boisé. À quoi tient un coup de foudre, sinon à des détails qui paraissent anodins quand on les raconte, mais qui pourtant nous transportent? Pourquoi sa voix grave produisait-elle sur moi autant d'effet? Pourquoi ses sourires me faisaient-ils fondre? Pourquoi me sentais-je aussi belle et désirable à travers ses yeux?

Les scientifiques ramènent tout aux odeurs de nos corps. Ainsi donc, nous serions, hommes et femmes, comme des animaux qui carburent à l'instinct plus qu'à l'intelligence devant les forces de l'attraction.

— Satie, je dois te dire quelque chose…
— Vas-y, je t'écoute, lui ai-je répondu avec un sourire mi-intrigué, mi-charmé.
— Satie, je ne sais pas trop comment te le dire; tu vas me trouver fou. Je… je… tu me fais de l'effet, je suis attiré par toi, c'est plus fort que moi. Je pense à toi tout le temps, je te suis partout. Je suis… je suis fou de toi, de ta désinvolture, de ta lumière. Je n'ai pas le droit, mais j'ai juste une envie : t'embrasser.

C'est à ce moment que nous avons osé notre premier baiser, long et tendre. Nous sommes entrés chez moi et plein d'autres ont suivi, gourmands, passionnés, voluptueux. Nos cœurs gonflés se sont épris, le désir nous a consumés, mais nous en avons tenu les rênes tant bien que mal pendant des semaines.

Nous avons échangé des courriels enflammés, des regards furtifs dans les corridors du palais de justice, des sourires qui valaient plus que des mots. Nous avons eu des rendez-vous sur du temps volé, en cachette, le plus souvent chez moi, mais sans jamais céder à l'ultime tentation. André ne voulait pas que je devienne sa maîtresse et, même si nous étions comme des chevaux fous pris dans des stalles, je trouvais noble qu'il se contienne par respect pour notre amour.

Un soir, sur un terrain vague au bord du fleuve, avec Montréal illuminée devant nous, nos barrages ont cédé à la puissance de notre désir. Il faisait un peu froid, mais nous avons fait l'amour dehors à la noirceur, moi assise sur le capot de la voiture, lui debout dans les herbes fraîches. Il a soulevé ma jupe et fait valser mon chemisier dans la nature. Il a découvert mon corps à demi nu avec des yeux éblouis. Il a dénudé le sien avec fierté et j'ai trouvé si beau son torse large et solide, que j'avais un peu parcouru de mes mains, mais jamais pleinement des yeux. J'étais comme une aveugle guérie qui découvrait soudain la beauté du monde. André m'a montré son sexe, long et durci, comme la preuve de son avidité. Quand il l'a glissé en moi dans l'urgence, je l'ai retenu au fond de mon ventre quelques secondes en m'agrippant à son dos, savourant l'instant de la fusion que j'aurais voulue éternelle. Je lui ai presque tiré les cheveux pour ramener ses lèvres sur les miennes. Nous partagions une intimité furieuse, dévorante et bouleversante. J'étais la sienne, il était le mien. Nous aurions voulu le nier que nos corps auraient crié à l'imposture. Ils étaient faits pour s'aimer, ils étaient prêts à obéir à la puissance du désir, à prendre tous les risques.

Ce soir-là, nous avons joui de nos corps et de la liberté qu'ils prenaient soudain, envers et contre tout. Oui, ce soir-là, nous avons décidé que rien ne nous arrêterait plus; ni le froid, ni l'inconfort, ni son mariage, ni le jugement des autres, ni rien du tout.

Nous étions seuls au monde. Nous narguions la terre entière de notre amour éperdu, de nos sourires éclatants et de nos corps brûlants, et nous puisions l'un dans l'autre la force d'affronter la tempête qui suivrait et dont nous devinions la violence. Nous goûtions au bonheur; un bonheur majuscule, plus beau que les gratte-ciel de Montréal, plus fort que le fleuve à nos pieds, plus scintillant que les lumières qui trouaient le noir de la nuit, plus grand que l'île qui s'étendait devant nous.

— Tu es la femme de ma vie, Satie. Je l'ai compris dès que je t'ai rencontrée. J'ai essayé de repousser cette impression, mais elle m'emporte. Est-ce que tu ressens ça aussi?

— C'est la première fois, André, que j'éprouve des sentiments aussi forts. La première fois que je ne suis pas devant un doute, mais une évidence. Qu'est-ce qu'on va faire, dis-moi?

— Je vais quitter Alice. Ce sera difficile; je sais qu'elle sera furieuse et qu'elle va tout faire pour me séparer de Pierre-Luc. Elle m'a déjà dit que, si un jour je la trompais, elle me ferait la guerre. Mais elle ne peut pas m'enlever mon fils. Elle ne peut pas.

André s'était mis à pleurer, silencieusement, avec ses grands yeux d'enfant désemparé. Envisager que son fils de trois ans grandisse entre deux valises, ti-raillé entre des parents en guerre, c'était le chapitre d'un livre qu'il n'aurait jamais voulu commencer. Si seulement j'avais pu porter tout le chagrin à sa place, lui ôter ses tourments! Je l'ai couvert de mille baisers légers comme des bulles de savon et j'ai espéré que chacun puisse le soulager de quelques larmes. Et alors, un sourire avait illuminé son visage, comme un arc-en-ciel sur des nuages d'acier.

Les mains d'André me manquent. Je voudrais qu'elles me brûlent encore, qu'elles me chavirent, qu'elles me soudent à lui, qu'elles m'excitent, qu'elles soient tendres, gourmandes, curieuses, exaltées. Je ne cesse de les imaginer sur ma peau, caressant mon ventre et mes seins, ou prenant doucement mon vi-sage pour l'amener vers un baiser, ou se frayant un chemin jusqu'en moi, dans mon humidité. Sans les mains d'André, mon corps est un désert la nuit, sec et froid.

*

Il faut que je sorte de ma chambre vert-de-gris. Je marche vers la mer. Des enfants blonds jouent au parc. Je les observe pendant de longues minutes en écou-tant leurs rires monter au ciel. Je poursuis mon che-min vers le marché aux poissons. Je passe la journée à regarder défiler les gens, j'entends le marchandage entre clients et vendeurs. Tous les mots se perdent dans le flou d'une langue que je ne connais pas et je me demande parfois comment les gens vont apprêter les masses gluantes qui gisent inertes sur la glace des étals.

Après, je rentre à l'hôtel, fatiguée. J'ai envie de dormir et de ne plus me réveiller. Cette chambre est parfaite pour dormir jusqu'à toujours. Le lit est douillet, blanc, accueillant. J'avale deux somnifères pour tenir à distance le fantôme d'André.

Je dors pendant douze heures. C'est la première fois que je dors autant depuis sa mort. J'ai du mal à sortir du lit. J'y reste clouée encore deux heures à fixer les murs avant de quitter le matelas. Vaincre ma force d'inertie me demande un effort incommensurable. Mais il faut partir; aujourd'hui, je prends l'avion pour Bodø, au nord, étape obligée dans le voyage jusqu'aux îles Lofoten.

BODØ

Du ciel, je regarde les montagnes piquantes couvertes de blanc. J'imagine que l'avion s'empale sur un sommet, que notre sang tache la blancheur immaculée, que nos corps gèlent dans ce paysage hostile. Chaque fois que je prends un avion et presque toutes les fois que je suis passagère dans une voiture, je m'invente un scénario d'accident. D'habitude, ça me glace le sang, mais, aujourd'hui, de penser que je vais mourir m'indiffère.

L'aéroport de Bodø est si proche de la ville qu'on peut faire le trajet à pied. Je récupère ma valise à roulettes et marche, seule et lente, jusqu'à mon hôtel. La ville est morne, grise et beige. Ma chambre est moche, brune et beige. D'y rester me remplit d'angoisse, mais je n'ai pas le choix. Le bateau vers les îles ne partira que demain matin.

J'ai du temps à tuer, des minutes et des heures qui paraissent l'éternité. Je ne sais pas quoi faire ici et, à portée de marche, il n'y a à voir rien de beau ou de vibrant pour faire obstacle à mes sombres pensées. Tout coûte encore plus cher qu'à Oslo. On est au nord, très loin, au-dessus du cercle polaire. La terre est impropre à l'agriculture et il faut transporter les vivres jusqu'ici, sauf les poissons qui sont meilleur marché, mais je ne les aime guère. Je vais donc me contenter de céréales et de yaourt comme repas, soir et matin. Je pourrais aussi manger de ces soupes en sachet qu'on retrouve partout dans les épiceries norvégiennes avec d'autres aliments déshydratés, mais elles ne m'intéressent pas.

Après mon passage à l'hôtel, je marche vers le port, car c'est là que Bodø paraît le plus animée. Mon corps déshabité arpente les quais en poutrelles de bois qui avoisinent la mer d'un bleu profond. Une odeur de friture se mélange à celle des algues et des poissons, ce qui me donne la nausée.

Je m'assois quand je suis fatiguée; il y a des tables partout sur la promenade pour ceux qui veulent casser la croûte. Je reste là à regarder la mer et les gens qui passent. J'ai l'impression d'être déconnectée de la réalité.

Un vieil homme s'approche et demande à s'installer près de moi, presque comme Georg à Oslo. J'aimerais avoir suffisamment d'égoïsme pour lui refuser de pénétrer mon espace.

Après deux ou trois minutes de silence, je commence à percevoir qu'il a envie de parler avec moi, ce qui me rebute. Il est beige et gris, lui aussi. Il porte de grosses lunettes avec de larges montures brunes. Le verre droit est givré. À observer la déformation de son visage et sa peau abîmée, on devine la blessure qui lui a brisé la vue. Comme l'homme me dit assez tôt dans la conversation qu'il était soldat, je songe qu'il a dû perdre son œil pendant la Seconde Guerre mondiale. C'est sûrement ça, mais je ne vais quand même pas lui poser la question, ce serait indélicat.

— Je m'appelle Finn, dit-il avec un sourire qui fait oublier ma première impression de grisaille. Vous êtes allemande?

— Non, canadienne.

— Eh bien, vous êtes grande comme une Allemande, mademoiselle… Mademoiselle qui, au juste?

— Satie.

— Ah! Comme le compositeur de musique, n'est-ce pas?

— Oui, c'est ça, mais sans le Éric devant.

— Ah! ah! Très drôle! J'aime bien venir ici les soirs d'été. Je trouve que c'est magnifique, cet horizon infini. J'ai besoin de cette splendeur apaisante.

D'un seul œil, Finn regarde les rayons du soleil scintiller sur le bleu de l'Arctique. Il goûte la beauté du monde et se remplit d'elle pour en faire provision. Chaque jour, il prend du temps pour cette dégustation, chaque jour, il éprouve de la gratitude.

— Nous passons la moitié de nos vies à apprendre à apprécier la vie. C'est dommage que nous mettions autant de temps pour comprendre, laisse-t-il tomber, songeur.

J'ai mes deux yeux, mais je suis aveugle à la beauté perçue par Finn. La mer, je la vois en noir, comme une invitation à me perdre dans ses profondeurs. Ses flots m'attirent.

Finn semble avoir un sixième sens qui lui fait détecter mon trouble. Sinon, pourquoi me confierait-il son histoire? Son œil crevé, ce n'est pas une blessure de guerre. Son œil crevé, sa peau meurtrie et son visage déformé, ce sont les ravages d'une balle de fusil qui lui a troué la tête. Finn aurait pu faire comme André: se suicider. Mais ça n'a pas marché. Sa fille l'a retrouvé à temps; elle a pu appeler les secours, et les médecins l'ont sauvé in extremis.

Il a quand même passé un mois dans le coma. Il se souvient, à son réveil, de l'étreinte émue de l'infirmière, son ange. Il s'était demandé pourquoi elle lui offrait son affection. Elle avait pris soin de lui tous les jours; le voir renaître était une victoire sur la mort.

Je vais jusqu'en Norvège pour oublier le suicide de mon amoureux et les histoires de suicide me suivent. C'est tout de même incroyable que les deux seules rencontres que j'ai faites depuis mon entrée au pays, en dehors des douaniers, hôteliers et restaurateurs, soient liées à ce que je cherche désespérément à fuir. J'ai l'impression d'être prisonnière du drame, comme s'il était écrit en majuscules dans mon regard et attirait ainsi ceux qui ont besoin d'en parler.

Finn avait une femme et deux enfants lorsque, à cinquante ans, il a appelé la mort. Maintenant, ils font comme s'il était six pieds sous terre en ignorant sa présence, en refusant de lui parler. Finn a donc été dépossédé de tout, même de son travail. Plus rien n'y paraît aujourd'hui dans le tissu élimé de son coupe-vent, mais il était un homme d'affaires respecté, autrefois. Il dit que son geste l'a déshonoré et que plus personne dans sa classe sociale n'a voulu lui faire confiance. Un homme qui avait fait « ça » était forcément un malade mental. Finn a pour compagnes de vie la pauvreté et la solitude, chaque soir, chaque nuit.

— Je ne suis plus parmi les joueurs de l'équipe, ni même les substituts. Mais je n'ai jamais été aussi heureux, dit-il en affichant cette fois un sourire presque fluorescent.

— C'est difficile à imaginer… Comment est-ce possible?

— Avant, j'avais tout pour être heureux, mais je ne goûtais rien. Je me détournais de l'essentiel. J'étais un arriviste, je courais après l'argent, je bossais tout le temps. Je n'ai même pas vu grandir mes enfants, que je ne voyais que cinq minutes le soir en rentrant, le temps d'un câlin et d'une brève description de leur journée. Enfin, même pas tous les jours. Parfois, je rentrais trop tard et même ma femme ne m'attendait plus. J'ai fini par ressentir un tel vide! J'en ai fait une dépression. Mais c'était une maladie honteuse; il ne fallait surtout pas que quelqu'un le sache. J'ai donc continué à bosser malgré tout, mais je perdais ma concentration et faisais des erreurs. C'était terrible! Je sentais que tout me glissait entre les doigts. J'ai fini par sortir mon fusil de chasse un soir où le désespoir prenait toute la place. C'était juste après que ma femme m'eut dit qu'elle en avait marre de nos vies parallèles et qu'il vaudrait peut-être mieux nous séparer. Ma fille m'a retrouvé dans un bain de sang. La seule chose qui est difficile, maintenant, c'est de ne plus la voir, ni elle ni son frère. Ni ma femme…

— Pourquoi ne les voyez-vous plus?

— Parce qu'ils sont fâchés. C'est comme si par mon geste je les avais reniés. En même temps, je suis obligé d'admettre que j'étais presque un étranger pour eux.

— Ils vous pardonneront sûrement un jour…

— J'ai cessé d'espérer. J'ai rempli ma vie autrement. Et j'ai l'impression d'avoir beaucoup à faire.

Finn se terre dans le silence quelques secondes avant de poursuivre sur un ton un peu plus léger.

— Puisque je suis riche de mon temps, maintenant, j'ai décidé d'en donner. Je fais du bénévolat. Je cuisine et sers des repas pour les plus pauvres. L'entraide, c'est réconfortant.

Après un deuxième silence, pensif, il me demande ce que je fais à Bodø.

— J'attends demain.

— Mais qu'est-ce qui vous amène si loin?

— L'envie d'oublier.

— Je vois. Suivez-moi, je vais vous montrer quelque chose.

Finn se lève et marche lentement vers le stationnement. Son dos raidi rend son pas moins leste. Je le suis, mais, quand il ouvre la portière de sa vieille voiture pour me faire monter à bord, j'ai une courte hésitation. Il ne faut pas s'aventurer avec des étrangers : je sais ça depuis que je suis toute petite. Je n'ai pas peur de la mort, mais, à cet instant, de la souffrance, si. Et je sais trop bien le mal qu'un homme peut faire à une femme. J'ai représenté au tribunal tellement de victimes de viols et d'agressions. J'ai rencontré tant de larmes et de vies brisées. Des femmes qui n'ont plus jamais ressenti le désir et qui ont emmuré leurs corps blessés comme si elles devenaient des bonnes sœurs sans la religion, à côté d'un mari ou d'un amoureux qui ne savait plus comment les aimer.

Malgré mes craintes, j'aborde le siège du passager et Finn démarre le moteur qui toussote avant de rugir. Il roule vers le nord, assez longtemps. Chaque kilomètre parcouru pèse un kilo d'angoisse sur mes épaules. Plus ça va, plus on s'éloigne des maisons de Bodø et nous revoilà plus près de la mer, toujours plus près, toujours plus seuls. La vieille voiture gravit une colline presque nue, verdoyante. Tout en haut, Finn s'arrête.

— Voilà, c'est ici qu'on peut voir le plus beau coucher de soleil du monde, m'annonce-t-il d'un air admiratif et satisfait.

Tout à coup, je m'en veux de lui avoir prêté de mauvaises intentions. Il est inoffensif, Finn. C'est un vieil homme esseulé, content de rencontrer quelqu'un, de partager ses petits bonheurs.

Le soleil indolent descend doucement sur la mer, presque blanc. Il est vingt et une heures. Il lui reste trois heures pour aller mourir et ressusciter sur les flots. Mais nous ne restons que quelques minutes sur la colline. Je me sens incapable de goûter l'instant comme Finn. Je suis mal à l'aise de rester étrangère à son sentiment de bien-être. Je ne veux pas qu'il me pose de questions et je sais que les silences prolongés s'ouvrent toujours sur des questions. Il faut fuir cet instant.

Je prétexte la fatigue pour demander à Finn de me ramener à l'hôtel. Avant, il veut me montrer encore autre chose. Même s'il fait encore des mystères, je me sens incapable de lui refuser ce désir. Nous remontons à bord de la voiture, rebroussons chemin et, après avoir traversé des rues remplies de maisons semblables, arrivons à un carrefour bordé d'immeubles à logements qui ressemblent aux HLM du Québec. Il manque d'arbres, dans cette ville. Le vert chasserait un peu de sa laideur. Il y a peut-être de jolis quartiers quelque part, mais nous n'y passons pas.

Finn veut me montrer son modeste appartement. J'aperçois, dans le salon, les photos de ses enfants et de sa femme, du temps où sa vie familiale existait. Son ancienne épouse est blonde et jolie. À côté d'elle, les frimousses espiègles des petits détonnent sur le gris du mur. Posés sur une tablette, il y a les souvenirs de quelques voyages à l'étranger : un masque africain en bois d'ébène, un œuf de Prague avec une fleur rouge étoilée et une tour Eiffel miniature. Autrement, il n'y a qu'un lit, un divan, une table et deux chaises. C'est très austère comme décor. Je frissonne à nouveau. Je n'aime pas être seule là avec Finn. J'ai peur de lui. Je le trouve étrange. Je veux partir.

Il me ramène à mon hôtel, où je verrouille la porte de ma chambre à double tour et tire les rideaux pour faire taire ce maudit soleil qui brille même la nuit.

C'est étrange que je sois tombée sur Finn et son suicide avorté. Je ne crois pas au hasard, pourtant. J'ai envie de pleurer. Je ne veux plus entendre ce mot de malheur, ne plus entendre ces histoires horribles; je veux oublier, tout effacer.

Je m'endors sur une nuit peuplée de cauchemars. Une nuit rouge de têtes explosées, de sols éclaboussés de sang. Une nuit bruyante et entêtante comme *Le cri*. Je vois le canon du fusil qui écrase la joue de Finn, je vois sa main sur la détente, j'entends le coup de feu qui retentit, je vois la balle qui troue sa tête, le sang qui gicle sur les murs et s'étend sur le sol quand tombe le corps. Je vois André monter sur une chaise de bois et enrouler la rallonge froide autour de son cou, j'entends tomber la vieille chaise de bois sur le plancher de béton et je vois le nœud étrangler mon amour. Je vois ses yeux exorbités par la terreur soudaine. Je vois la sueur mouiller ses boucles blondes – ses jolies boucles blondes – et les gouttes d'eau perler sur la peau lisse de sa nuque, là où j'aimais tant poser mes lèvres. Je ne veux plus jamais dormir si c'est pour revoir ces scènes terrifiantes. Je déteste Finn; c'est à cause de lui que je suis hantée à nouveau.

*

Quand André a laissé sa femme, j'ai cherché un appartement avec lui, un endroit où il pourrait faire une transition avant notre vie à deux. Tout était très cher et souvent moche; ce n'était pas la bonne saison pour louer. Le logement qu'on a trouvé avait de vastes pièces ensoleillées, mais il a fallu tout repeindre et tout nettoyer; un travail qui nous a demandé temps et efforts, en pleine canicule, car les locataires précédents s'étaient montrés plutôt négligents. La chaleur humide de ces jours de juillet me pèse encore, quand j'y repense.

André était néanmoins joyeux, pendant la semaine où nous lui construisions un nid confortable, rien qu'à lui. Il me demandait mon avis pour les couleurs, il voulait que son nouvel appartement lui ressemble, mais aussi sentir ma touche dans son décor. Le soir, quand nous rangions les rouleaux et les pinceaux, fourbus mais heureux du travail accompli, nous passions sous la douche ensemble avant de faire l'amour comme si nous en avions été privés pendant des années.

Une fois, comme des enfants turbulents, nous avons joué à nous tacheter avec les pinceaux imbibés de bleu. Après une course folle à travers les pièces du logement pour éviter un coup de couleur, nous nous sommes retrouvés sur le plancher du salon à rire éperdument. Gonflée de désir, j'ai déshabillé André pour faire de son corps ma toile à graffitis d'amour cobalt. Il a ensuite trempé sa brosse dans le rouge pour peindre des lèvres pulpeuses autour de mes seins. Enduits d'une couche de latex, nos corps glissants, allongés sur les bâches tachées qui couvraient le sol, se sont rapprochés. Nos couleurs se sont mélangées dans la joie et la sueur.

Quand tout a été repeint et récuré, André y a passé sa première fin de semaine en solo avec son fils. Je ne pouvais pas entrer dans sa vie tout de suite. Je ne le voulais pas non plus. Je n'avais pas envie qu'il me considère comme l'ingrate qui avait séparé ses parents.

Je suis quand même arrivée trop tôt dans la vie du petit Pierre-Luc. André a commencé à m'inquiéter après quelques semaines qui avaient eu pour nous des allures de lune de miel.

Il m'appelait le soir en pleurant. Son enfant avait réclamé sa mère toute la journée, et André se sentait minable de causer autant de chagrin à son fils. Il cherchait en moi du réconfort et peut-être aussi l'assurance qu'il ne s'était pas trompé. En tout cas, il ne se sentait pas la force de vivre une deuxième journée aussi souffrante et il me voulait près de lui, quitte à ce que je sois présentée comme une amie. Mais les enfants ne sont jamais dupes.

— Je ne veux pas te voir, je veux mon papa pour moi tout seul! s'était-il exclamé après avoir passé quelques heures plutôt joyeuses en ma présence. Tu n'es pas ma maman!

Pierre-Luc a abordé ainsi la relation ambivalente que nous avons pu entretenir pendant les quelques mois où nous nous sommes côtoyés à temps partiel. Je crois qu'il avait envie de m'aimer sans s'y autoriser, comme bien des enfants de familles éclatées. Il adorait faire des folies avec moi et, quand je lui racontais des histoires le soir avant qu'il se mette au lit, il blottissait son petit corps tout chaud contre le mien, le regard rêveur. Mais peut-être se sentait-il déloyal chaque fois qu'il s'approchait de moi, comme si c'était trahir sa mère. Le soir du réveillon de Noël, je lui avais offert un album illustré avec une belle histoire d'amour entre deux écureuils; d'abord excité à l'idée de déballer un cadeau, il s'était mis dans une colère noire en le regardant.

— C'est pas un vrai cadeau, ça! avait-il déclaré en lançant le livre contre le mur.

C'était une rage enfantine; le lendemain, il ne s'en souviendrait pas, m'étais-je efforcée de croire, alors qu'au fond de moi j'étais désemparée. J'avais retenu mes larmes et dit à Pierre-Luc que son geste me peinait, mais qu'il avait droit à sa colère.

André me disait de ne pas prêter attention à ces comportements impulsifs, mais, comme j'ai toujours été effrayée par le rejet, je me faisais des soucis hauts comme l'Everest.

D'autres fois, c'était André qui m'inquiétait, quand il était à bout de patience et qu'il criait sa rage à son petit garçon. Les emportements, les réactions violentes et imprévisibles, m'ont toujours fait peur. Devant eux, je devenais aussi petite que Pierre-Luc et, comme lui, j'avais envie de fondre en larmes. Je n'osais pas m'interposer; comme je n'étais pas la mère, je ne me sentais aucune légitimité. Mais j'essayais d'exprimer délicatement au petit, avec mon regard, toute ma compassion.

Après un éclat de colère, André s'en voulait. Il n'allait pas jusqu'à s'excuser à Pierre-Luc ou à moi, il avait trop d'orgueil, mais il se sentait incompétent comme père. J'essayais de le consoler en lui disant qu'il traversait une tempête et qu'il retrouverait sa patience quand son ciel se dégagerait, bientôt, je l'espérais.

J'ai passé beaucoup de temps à essayer de consoler André. Il avait des jours très noirs, parfois. Il se sentait coupable d'avoir détruit sa famille. Il ne s'accordait pas le droit, alors, d'éprouver du bonheur avec moi, si tôt après sa rupture avec Alice. Je tâchais de lui rappeler qu'Alice avait aussi sa part de responsabilité dans l'éclatement de leur mariage. Elle avait cessé de faire l'amour avec lui. Durant des mois et jusqu'à leur séparation, elle avait repoussé toutes ses avances, sans explication. André avait pris la décision de partir, mais leur relation était morte bien avant son départ. Un couple qui s'aime sait l'exprimer par la communion des corps.

Pour ramener la lueur d'un sourire sur le doux visage d'André, je l'inondais de ma lumière, de mon espoir, de mes rêves avec lui, de mon amour de la vie. Je le sortais de chez lui, je l'emmenais se balader sur le mont Royal pour regarder la ville de haut et nous rapprocher du ciel, ou bien je planifiais une fin de semaine à la campagne pour souder nos liens, pour oublier les tracas, pour prendre le temps d'exister au présent, lui et moi, ensemble. Et, quand tous mes efforts restaient vains, je devenais gourmande de lui, je l'irradiais de mon désir pour qu'il cesse de se croire sans attrait comme dans ses derniers mois avec Alice, pour qu'il sache que, l'amour avec lui, c'était le paradis.

Avec André, j'étais forte pour deux. Jamais, jamais je ne devais lui montrer ma fatigue d'incarner le soleil. Quand il a commencé à prendre des médicaments pour soigner sa dépression, j'ai été animée d'un espoir plus vif, mais la tragédie nourrit désormais en moi l'impression que ses maudites pilules n'ont rien donné.

Parfois, André me demandait de tenir bon. Il disait ne pas se reconnaître quand il pleurait ou s'emportait. Il lui est arrivé de se fâcher contre moi. Un jour que Pierre-Luc vomissait, j'avais choisi de rester chez moi pour ne pas tomber malade. André s'était mis en colère et m'avait adressé des reproches.

— Que feras-tu quand tu auras des enfants? Tu les laisseras tomber quand ils auront un virus?

Je lui avais dit que j'assumerais quand j'aurais des enfants, mais que, comme ce n'était pas encore le cas, je pouvais choisir d'éviter la contagion. Je m'étais néanmoins sentie coupable de ne pas le soutenir suffisamment, mais j'avais aussi besoin d'air pour ne pas m'effondrer. Vivre aux côtés d'un dépressif, c'est comme tenir la main d'un homme qui se noie et vous entraîne vers le fond malgré lui. Il faut une force de tous les instants pour rester à la surface.

André me disait qu'un jour il redeviendrait le gentleman de qui j'étais tombée amoureuse, celui qui avait fait naître le rêve d'un avenir radieux. Je le croyais, j'espérais très fort qu'il en soit ainsi. J'ai passé beaucoup de temps, finalement, à m'accrocher au souvenir de la félicité de nos premières semaines ensemble, à espérer que le présent la ramène.

Une fois, il m'a raconté qu'Alice, ivre, était débarquée chez lui sans prévenir, un soir où j'étais restée chez moi. Elle avait mis une minijupe, du bleu sur ses paupières et du rouge vif sur ses lèvres. Avec ses airs aguichants, elle avait appelé son désir. Oui, elle qui avait boudé l'amour pendant un an, voulait, ce soir-là, séduire André, lui prouver qu'il avait eu tort de la quitter, qu'elle pouvait lui offrir mieux que moi, « l'autre », comme elle m'appelait.

André m'a dit et redit qu'il l'avait chassée de chez lui et qu'elle s'était fâchée avant de fondre en larmes, mais, encore aujourd'hui, je garde un doute qui me tourmente. Peut-être qu'il faut s'offrir une dernière fois avant de se quitter? Peut-être qu'il faut vérifier si l'amour est bien mort avant de l'enterrer?

Le jour où j'ai vu Alice en photo, je me suis sentie inférieure. Elle avait des cheveux si noirs, des yeux si intenses, des traits tellement parfaits! Elle avait un look de star, alors que, moi, j'étais plutôt la fille d'à côté. Mignonne, mais pas sublime comme elle.

J'ai eu encore plus mal à l'intérieur l'après-midi où je l'ai vue entrer dans la même salle de cinéma que moi. Je l'ai épiée secrètement en me torturant. J'imaginais qu'André, forcément, retournerait au sublime.

LOFOTEN

J'ai les yeux hagards. J'ai l'impression d'avoir quatre-vingts ans quand je me tire du lit après ma nuit de cauchemars. Je me dépêche de boucler ma valise, car tout dans cette chambre beige, des murs défraîchis au couvre-lit de polyester, me donne envie de partir. Le temps est venu de prendre le bateau pour les îles.

La traversée paraît longue. Il y a beaucoup de passagers sur le ferry et je n'ai pas envie d'être proche des gens. On s'arrête dans des endroits où on n'imagine pas qu'il y a de la vie. Entre deux falaises de bord de mer, une minuscule vallée presque nue, quelques habitations et un port trop tranquille. J'imagine qu'il faut prendre le traversier pour faire son épicerie. Je me sens au bout du monde et j'ai l'impression de perdre pied.

En arrivant finalement à Svolvær, je monte dans un taxi pour me rendre chez Anna, qui habite dans les hauteurs. Je devrais l'appeler madame, suivi de son nom de famille, mais ce nom mesure un mètre, avec trop de consonnes; impossible de le retenir. J'ai trouvé l'adresse d'Anna sur Internet. C'est une ancienne enseignante qui tient un gîte, maintenant qu'elle est à la retraite. J'aurais préféré l'accueil anonyme d'un hôtel, mais c'était trop cher.

La maison d'Anna est greffée à une falaise. Plus bas, on voit le cœur du village et des chapelets de rochers qui s'égrènent dans la mer miroir, irradiés par le soleil couchant. Deux ou trois cabanes de pêcheurs, en rouge vif, découpent le bleu de l'Arctique. Du côté gauche de la baie, des montagnes aux arêtes pointues piquent le ciel. C'est magnifique, vraiment.

Anna est une petite personne trapue avec des cheveux noirs coupés à la Cléopâtre. Elle a de beaux yeux verts et paraît encore jeune pour sa soixantaine. Elle m'accueille avec un large sourire et me pose une série de questions polies avant de me conduire à ma chambre et de m'indiquer où sont la douche et les toilettes. Pour la nourriture, elle offre un coin de frigo, mais il est déjà bondé; ce serait gênant d'y ajouter quelque chose. Je ne sais pas comment on fait pour ouvrir sa maison aux inconnus, soir après soir laisser pénétrer son intimité par des gens qu'on n'aimera pas forcément.

Ma chambre est dans un demi-sous-sol et ne donne pas sur la mer. Elle est plutôt du côté du soleil du soir, et la lumière inonde la pièce même quand je tire les rideaux, qui sont minces comme des draps, brun et orange, rescapés des années soixante.

Peut-être que je suis partie au pays du soleil de minuit pour ne plus dormir, pour ne plus sombrer dans un cauchemar, pour ne plus rencontrer les dragons de ma vie. Je n'y avais pas pensé, mais c'est tout de même étrange de me retrouver dans cette lumière insistante, têtue, indomptable.

J'essaie de dormir, pour rattraper le sommeil perdu dans les cauchemars de la nuit précédente, mais je n'y arrive pas. L'ennui, c'est qu'il est trop tard déjà pour penser louer une voiture et me perdre dans les îles. Je pourrais songer à manger, mais me mêler aux autres invités irait tellement à l'encontre de mes états d'âme que je préfère encore jeûner jusqu'au lendemain matin. Je pourrais aller marcher, mais je me sens loin, tellement perdue que j'ai besoin de me poser dans cette petite chambre dont les quatre murs, aussi ternes soient-ils, ont l'apparence d'un refuge. Pour dire vrai, je n'arrive pas à me débarrasser de la boule qui me brûle le ventre et m'empêche de respirer librement. Je la connais, cette boule, trop bien même. Mais, cette fois, elle cogne plus fort, elle est brutale, paralysante.

Je ne dors presque pas. J'essaie de lire parce que le défilé des mots sur les pages finit souvent par m'endormir, mais mes facultés de concentration sont affaiblies par les démons de l'angoisse. Aussi la nuit paraît-elle durer cent ans.

Le lendemain matin, après une douche rapide, je quitte la maison en annonçant à Anna que je vais louer une voiture pour aller jusqu'au bout de l'archipel, à Å. Elle me recommande quelques arrêts en chemin, dont un sur une plage de sable blanc où elle va se baigner quand l'été est doux. Nager dans l'Arctique, je n'aurais pas imaginé que c'était possible, mais les îles

Lofoten, à cause du Gulf Stream qui réchauffe l'eau et l'air, jouissent d'un microclimat tempéré. À la même latitude, en hiver, dans les terres, le mercure dégringole à -35 °C. Dans l'archipel, il descend rarement sous les -10 °C.

Je marche jusqu'à un garage où je peux louer une voiture. Le type m'explique dans un anglais à peine compréhensible que les seuls véhicules qu'il lui reste ont de l'âge et du kilométrage. Il insiste : il n'est pas responsable des bris mécaniques. Malgré tout, il faut débourser près de cent dollars par jour pour la location. C'est de la folie, mais qu'est-ce que ça peut bien faire ? Je n'aurai peut-être plus jamais besoin de fric, de toute manière. Je n'irai peut-être jamais plus loin que Å. Le bout du monde est une lettre sans suite. Une lettre qui ne traîne pas comme un « m » ou un « r », mais qui se prononce sèchement, abruptement, comme un cul-de-sac.

Je monte à bord de la bagnole de tôle grise et l'aventure des îles commence. Ce n'est pas tant le bout de l'archipel qui m'appelle, mais Reine, un village rouge entouré de montagnes coniques qui se dressent autour d'un lac. Un village de carte postale, que je dois avoir envie de voir avant de mourir.

La route est presque déserte. Je peux rouler lentement sans embêter personne. Par moments, l'eau est presque partout autour de moi. Je circule sur de toutes petites surfaces terrestres et l'océan semble vouloir m'avaler. Je me rappelle soudain que je déteste les petites îles pour cette raison. J'ai toujours l'impression qu'elles vont s'enfoncer dans les vagues et que je vais me noyer avec elles. Pourquoi la mort me fait-elle peur à ce moment précis?

*

André m'avait déjà laissé entendre qu'il voulait partir pour ne plus faire souffrir personne. Un soir, il m'avait téléphoné et il pleurait. Il avait bu, je pense. Son élocution était molle. Il était découragé, il avait eu une mauvaise journée avec Pierre-Luc. Le petit avait été difficile, il réagissait à la séparation par des comportements agressifs et turbulents. André avait tempêté; il n'en pouvait plus d'entendre son enfant pleurer et crier pour revoir sa maman et son papa ensemble dans la maison familiale.

J'étais alors allée le rejoindre à l'appartement. Pierre-Luc, endormi, ressemblait à un ange dans l'édredon. André était affalé sur un sofa, le regard vissé dans le vide. Je m'étais assise juste à côté de lui et j'avais pris sa main doucement en déposant ma tête sur son épaule. Nous étions restés silencieux un moment. Puis, il m'avait dit qu'il ne supportait plus de faire souffrir tout le monde autour de lui. Alice, totalement désemparée par la rupture qui ravivait une blessure d'abandon; Pierre-Luc, trop jeune pour tout comprendre, mais assez grand pour pleurer sa famille éclatée. Ses parents, qui ne comprenaient rien à sa décision de divorcer. Et moi, qui voyais mon histoire d'amour se blesser sur l'épave de son mariage.

André avait l'impression d'avoir tout raté. Il se

voyait comme la source de tous les drames de son entourage. S'il n'avait pas été là, disait-il, je vivrais sans doute plus heureuse.

— André, la tempête va se calmer. On traverse une zone de turbulences, mais on finira par atterrir sains et saufs. Un jour, tout le monde reprendra son envol en paix. Mon amour, je suis là pour te tenir la main, maintenant. Je ne vais pas la lâcher. Notre amour est l'horizon. OK?

— Tu as raison, Satie. C'est juste une mauvaise journée. Excuse-moi… Merci d'être là.

Je ne me suis pas assez méfiée. J'ai cru André quand il m'a dit que c'était seulement une mauvaise journée.

*

Je me suis arrêtée sur la plage d'Anna. Il n'y avait personne, j'avais l'immensité pour moi toute seule. J'ai retiré mes baskets et foulé le sable blanc, fin comme de la poudre. J'avais l'impression d'être sous les tropiques. L'Arctique avait les mêmes couleurs que les mers du Sud. Il ne manquait que les palmiers pour que l'illusion soit parfaite. J'ai roulé mes jeans et trempé mes pieds dans l'eau vive, certainement pas plus froide qu'en Gaspésie.

Ensuite, je me suis assise sur la plage, cheveux dans la brise, et j'y suis restée un bon moment, figée dans mes souvenirs d'André. Pas ceux de la mort, ceux de l'amour. Je me suis rappelé la beauté de son corps musclé, la carrure de ses épaules, la vigueur de son sexe.

Je me suis rappelé la passion dans ses baisers. André m'embrassait avec tant d'ardeur et de profondeur que j'avais l'impression que sa bouche avalait mon âme. Cette sensation si intense, que lui seul m'avait donnée, était comme une drogue dure. J'avais toujours envie de me donner à lui pour retrouver ce plaisir absolu, pour avoir l'impression d'être en lui.

J'en serai privée à jamais.

L'idée m'est insupportable.

Je reprends la route. Tout autour de moi est d'une beauté démesurée. Le bleu intense de l'océan et du ciel. Les collines verdoyantes du milieu de l'archipel. Les lagunes turquoise. Les séchoirs à morue remplis de leur peau grise, fouettés par le vent. La lumière pure et vive. Les montagnes aux reliefs abrupts. Les maisons écarlates.

C'est d'une beauté sublime et violente. Les montagnes sont des lames qui découpent le ciel, des crocs qui mordent les nuages. L'espace si mince entre mer et flancs de montagnes m'étouffe. Je me sens oppressée par l'apparente adversité entre terre et mer. Je ne pourrais jamais habiter ces îles; elles ressemblent à un paradis qui ne serait que le paravent devant l'enfer.

Quand j'arrive enfin près de Reine, le ciel s'est couvert de gris ardoise. Il y a à peine assez d'espace pour laisser passer la route entre l'eau et la muraille de rochers. J'ai presque envie de rebrousser chemin tant je me sens en péril dans les courbes emprisonnées. La carte postale s'est assombrie. Elle n'a plus rien d'enchanteur. J'ai l'impression d'arriver chez les dragons. Les gigantesques mâchoires qui cernent le lac et le village donnent l'impression qu'elles vont se refermer sur moi.

Je ne reste donc pas longtemps dans cet endroit hostile. Je file jusqu'à Å où j'arrive au bout du monde. La route s'achève sur des rochers ciselés et, sauf derrière moi, il n'y a que du bleu-gris autour. Je perçois à peine la côte norvégienne au loin. L'inconfort qui me gagne devant cet horizon trop vaste et trop vide me fait fuir l'endroit. Ce vide est l'écho de mon cœur et je ne veux plus le regarder ni le ressentir.

Je rebrousse donc chemin jusqu'à Fredvang. Là, les montagnes sont plus rondes, plus paisibles, moins effrayantes. Je gare la voiture. Je ne sais plus trop ce que m'a dit Anna sur Fredvang, mais elle m'en a parlé et c'est pour cette raison que je décide d'aller y marcher. Je grimpe dans un pré escarpé et, tout en haut, je revois la mer et ses mouvements. Je suis beaucoup, beaucoup plus haute que les vagues. Je préfère dominer la mer que d'être à sa merci. Ce n'est pas elle qui m'avalera, c'est moi qui déciderai si j'y plonge.

Si je saute en bas de la vertigineuse falaise, je risque de me briser sur de gros récifs tabassés par les vagues. Le ressac m'emporterait quand même. Je reste longtemps au bord du vide avec le désir de me jeter en bas comme un caillou dont on perdrait la trace après le plouf. Je n'ai pas envie, comme André, de mourir pour arrêter de faire souffrir ceux que j'aime. J'ai envie de mourir pour tuer ma propre souffrance.

Je sais bien que je ne retrouverai pas André de l'autre côté, mais ma part d'irrationnel m'invite à croire à cette perspective enchanteresse. C'est comme le chant des sirènes. Et qu'est-ce que j'ai à perdre en sautant, sinon une vie désolée, une condamnation à la solitude, au manque, à la culpabilité? La mort me paraît plus sereine que la vie sans André.

Je n'ai qu'à cesser de réfléchir et à sauter. Je suis à quelques secondes de ma solution. Je suis à un pas du vide. Il me suffit d'enjamber les herbes folles qui dansent à mes pieds; je ne suis qu'à un geste de ma délivrance. Je n'aurais à vivre que quelques secondes dans le vent et la peur avant de me fracasser net...

Mon corps tangue tel un voilier dans la houle. Il suffirait d'une bourrasque soudaine pour que je tombe. Il suffirait d'un soupçon de volonté supplémentaire pour que j'aille embrasser la mort.

Ma vie ne tient à rien, en haut de cette falaise. Et peut-être qu'elle n'est rien, maintenant... À quoi bon continuer d'aimer un mort? Sans André, je ne suis qu'un sujet sans complément.

Une seule pensée me garde soudain de faire le pas. Celle de ma famille. Mes parents seraient dévastés si je devenais la fille de la mer. Puis-je vraiment leur faire subir la désolation qui est la mienne depuis le suicide d'André? Où s'arrêtera le cortège funèbre si je n'accepte pas ma souffrance?

Je recule d'un pas dans le pré et mes yeux s'emplissent de larmes. Mes jambes vacillent et je m'affale. Je suis encore tout près du précipice, mais recroquevillée, en position fœtale. Je ne cours plus le risque de basculer. Mon corps est secoué de spasmes et je m'étouffe presque dans mes sanglots.

*

Je n'ai jamais pu faire mes adieux à André. Quand il a été enterré, c'est Alice, en tant qu'épouse officielle, séparée mais non divorcée, qui a reçu toutes les poignées de main, les étreintes, le soutien. Moi, j'étais l'autre. La salope qui lui avait volé André. L'autre, la mystérieuse, l'illégitime, celle qui n'avait pas encore été présentée à la famille. Celle qui n'avait pas le droit d'être là, même si André l'avait choisie.

M'avait-il vraiment choisie?

Peut-être, mais sans assumer pleinement la décision de quitter Alice. Sinon, il n'aurait pas craint les réactions de son entourage; il aurait tout bravé pour laisser vivre son amour au grand jour. Certains proches connaissaient mon existence autour d'André, mais personne, sauf son fils, ne m'avait rencontrée.

Le jour des funérailles, j'ai songé à aller à l'église en me cachant derrière des lunettes noires. Mais des lunettes m'auraient révélée plus que cachée et je n'avais surtout pas envie de causer un malaise, d'ajouter aux tourments des parents et amis d'André.

Je me suis approchée de l'église une fois la messe

commencée. Je suis restée dans la rue d'à côté, à bord de ma voiture, immobile, sans entendre d'autres bruits que ceux de la ville. Quand tout le monde est sorti, quand le défilé des mouchoirs a surgi pour s'engouffrer aussitôt dans les voitures, je me suis sentie affreusement seule. Et trahie.

Le petit Pierre-Luc, dont j'ai aperçu le regard inconsolable alors qu'il descendait les marches devant l'église, ne se sentait-il pas trahi, lui aussi? Comment était-ce possible d'abandonner les amours de sa vie, de les livrer à une telle souffrance? André, pourquoi? Pourquoi? Dis-moi…

Je t'aurais aidé, je t'aurais tenu la main, je t'aurais ramené vers la lumière si tu étais resté. Je t'aurais donné tout ce que j'ai, j'aurais été forte pour toi les jours difficiles, j'aurais pu oublier tous mes besoins pour te guérir, pour te revoir sourire, pour faire jaillir à nouveau dans ton regard l'éclat magnifique de nos nuits d'amour. J'aurais tout fait pour toi, André, mon amour… Pourquoi n'ai-je pas été là pour t'arracher à la dame blanche, cette maléfique séductrice des cœurs fragiles? Pourquoi n'ai-je pas flairé le danger qui rôdait?

Je ne savais même pas où André allait être enterré. Comment aurais-je pu savoir? On ne discute pas de pré-arrangements avec son nouvel amoureux de quarante ans. La seule manière de pouvoir garder contact avec André, c'était de me rendre au cimetière, d'y aller à cinq heures ou à vingt et une heures, quand je ne dérangerais plus personne. J'ai suivi les voitures à distance et observé où, à peu près, mon amoureux allait disparaître six pieds sous terre, là où il allait perdre sa beauté, sa force, sa lumière, là où il allait perdre à jamais la douceur et la chaleur de sa peau, là où il serait réduit à une poignée d'os au fond d'une boîte en bois bientôt pourri. Est-ce que son âme résisterait au carnage des insectes? Allait-elle m'accompagner encore? Est-ce qu'il resterait quelque chose de nos amours?

Il ne reste même pas une photo de nous, seulement l'insoutenable chagrin collé au souvenir d'un bonheur aussi bref que vif.

Je suis demeurée à bord de ma voiture, près du cimetière, jusqu'à ce que tout le monde s'en aille. J'étais figée dans ma douleur.

Quand le ciel a commencé à s'assombrir, j'ai ouvert la portière, je me suis levée de mon siège et, sans prendre le temps de verrouiller, j'ai marché lentement jusqu'à la tombe d'André. Une gerbe de roses, des couronnes d'œillets jaunes, trois lys blancs comme les premiers flocons sur l'automne. La terre fraîche encore légère, le ciel marbré de rose et de gris foncé, quelques rayons de soleil striant l'horizon. Mes larmes et l'impression qu'en tombant au sol elles nourriraient une coulée de boue qui me ferait chuter et m'emporterait très loin, m'envelopperait pour me conduire dans les entrailles de la planète, tout près d'André.

Je suis tombée, mais sans disparaître. Mes jambes ont vacillé et mes genoux se sont enfoncés dans la terre. Puis le reste de mon corps s'est affalé. Je me suis tournée sur le côté, recroquevillée, les mains sur mes yeux mouillés. Je partageais la même terre qu'André, elle s'imprégnait dans mes cheveux, dans ma peau. J'aurais creusé cette terre de mes mains pour aller dormir toute l'éternité avec mon bel amour.

*

Je redescends la falaise de Fredvang, côté verdure. Je marche d'un pas lent et lourd, mes genoux tiennent un corps désarticulé. Un instant, je songe à me laisser rouler jusqu'en bas comme une balle. Mais j'aperçois des marcheurs au loin et je cherche à rester discrète pour ne pas les attirer vers moi. Je regagne péniblement la voiture et reprends la route vers Svolvær. Je serai revenue de Å, je serai revenue du bout du monde. Je serai revenue de ma fin anticipée.

Au gîte, Anna s'affaire dans la cuisine quand je rentre. Elle m'accueille avec ses yeux rieurs.

— Alors, Satie, comment avez-vous aimé votre excursion?

— C'était beau et étrange comme dans un roman de Tolkien.

— Vous vous êtes baignée?

— Les pieds seulement, là où vous m'avez dit d'aller.

— Souvent, je vais sur cette plage et me lance à l'eau pour faire du kayak à la saison des baleines. C'est magnifique!

— Sûrement.

Je voudrais qu'Anna ne me parle plus. Je voudrais regagner le lit et y rester immobile comme André dans son cercueil. Je voudrais ne voir personne. Mais deux chambreurs arrivent dans la cuisine et ajoutent leurs questions à celles de ma logeuse. Ils ont l'air de bien la connaître, assez en tout cas pour partager la table avec elle ce soir. Elle apprête un saumon et des légumes frais, ce qui semble une denrée rare, ici.

— D'où venez-vous, Satie? demande avec un accent prononcé le plus petit des deux hommes.

— Du Canada. De Montréal.

— Oh! *Wonderful*[1]! On ne voit pas beaucoup de Canadiens par ici. Qui vous a donné l'idée?

— Un reportage à la télé.

— Vous voyagez seule?

— Oui.

— Oh! fait-il, apparemment désolé et un peu gêné.

— Satie, demande Anna aussitôt, pourquoi ne pas vous joindre à nous pour le repas? Je serais ravie de vous entendre parler de votre pays!

— *Oh! yes, it would be so nice*[2]! ajoute le plus grand et le plus âgé des deux hommes, qui paraît la mi-cinquantaine. Je me présente. Je suis Varg. Lui, c'est Larry.

J'ai la vague impression qu'ils forment un couple, tous les deux, mais je songe à l'instant que l'homosexualité est peut-être mal vue dans ce pays, ce qui ex-

1. Merveilleux!
2. Oh! oui, ce serait si agréable!

pliquerait l'immense discrétion des couples gais. À Oslo, je n'en ai aperçu aucun. Pourtant, j'ai parcouru la ville presque entière.

Je n'ai pas envie de faire la conversation, encore moins d'être l'attraction de la soirée en tant que touriste d'un pays lointain. Mais Anna est accueillante et refuser son invitation la vexerait sans doute. Je la sens comme un privilège rarement accordé.

J'ai droit à toutes les questions sur le climat, la politique, le nationalisme québécois, le sirop d'érable, la cuisine locale, ma carrière et, évidemment, la raison de mon voyage en Norvège. Je veux bien dire qu'il fait très froid l'hiver et trop chaud l'été, que la montée de la droite nous guette aussi, que le nationalisme a déjà été plus fervent, que le sirop d'érable est un pur délice, que nous mangeons de la poutine et des gâteaux aux canneberges, que je suis procureure de la Couronne et que je porte parfois trop de blessures sur mes épaules. Mais évoquer la mort d'André comme raison d'aller au bout du monde, je ne peux pas. Ce trio insouciant n'aurait pas la compassion de Georg.

Je dis simplement qu'un chagrin d'amour m'a donné envie de partir très loin. La confidence pèse déjà un peu lourd dans l'atmosphère de la soirée. Un silence tombe après le malaise. Je n'arrive pas à ajouter une blague pour faire oublier mon manque de tact. En même temps, si on ne veut pas entendre une certaine réponse, on ne pose pas la question.

— Satie, propose soudain Anna après le dîner, il

faut venir avec nous voir le soleil de minuit! Cela vous aidera à oublier. Il n'y a rien de plus beau au monde!

— Oui, Anna a raison, acquiesce Larry. Mais n'avez-vous pas aussi ce soleil chez vous?

— Bien sûr, mais il faut aller plus au nord et nous n'y allons jamais. Il y fait plus froid qu'ici. Au nord, chez nous, ce sont des villages inuits qui n'accueillent pas beaucoup de touristes; il n'y a pas d'hôtel. Et il faut y aller en avion. C'est très cher.

— Ah oui? Et à Montréal, c'est cher aussi?

— Ce n'est pas donné. Mais enfin, par rapport à la Norvège, c'est bon marché.

— Vraiment?

— À cause de la force de votre monnaie, presque tout, ici, coûte deux fois ce que nous payons à Montréal.

— Oh! Je comprends pourquoi il n'y a pas beaucoup de Canadiens qui nous visitent, fait Anna, presque gênée.

Après le repas, nous faisons la vaisselle ensemble, puis Anna me recommande d'aller chercher dans ma valise des vêtements plus chauds parce que, au vent d'ouest, à minuit, le temps sera frais.

Nous descendons la route en lacets qui nous amène au village. Des enfants de six ou sept ans traînent dans les rues à vélo, d'autres jouent au ballon. Il est pourtant vingt-trois heures. Anna dit qu'à Lofoten, les mois de clarté, tout le monde fait le plein de rayons du soleil. Plus tard, il y aura l'interminable noirceur de l'hiver pour dormir. L'été, c'est la fête, la vie en communauté. Après, chacun vit reclus dans ses quartiers.

Je suis surprise d'apercevoir des enfants noirs à cette latitude. Qu'est-ce qui peut bien amener des Africains dans l'Arctique? Ils ne choisissent pas, explique Anna. C'est le gouvernement norvégien qui disperse les familles de réfugiés sur le territoire. Pour éviter la formation de ghettos, toutes les villes du pays reçoivent leur «lot» d'étrangers. Ils n'ont pas le choix de s'intégrer. Ou d'être assimilés, ne puis-je m'empêcher de songer.

Comme ils doivent se sentir isolés et différents, les quelques immigrés qui vivent ici! J'ai l'impression d'être comme eux, même si j'ai la peau blanche, même si ma différence est invisible.

J'ai toujours pensé que les ghettos ne sont pas souhaitables, mais ils sont tellement humains. Qui d'entre nous ne rechercherait pas la compagnie de ses semblables s'il était transporté dans un pays où il aurait perdu tous ses repères culturels? Bien sûr, il faut faire l'effort de connaître la culture et les gens du pays d'accueil. Mais n'y a-t-il pas des moments où le besoin de côtoyer ceux qui ont les mêmes coutumes devient très fort, voire irrépressible? Je connais des immigrés qui sont parvenus à se détacher de leurs racines, mais je les soupçonne d'avoir voulu fuir quelque chose. Comme j'essaie de le faire maintenant. Mais parvient-on vraiment à fuir ce qui nous ronge de l'intérieur?

En regardant ces enfants noirs dans la nuit lumineuse du Nord, je réalise que, pendant quelques minutes, mes pensées se sont détournées d'André. J'ai été brièvement libérée de ma douleur, revenue aussitôt comme un boomerang, même à des milliers de kilomètres de son origine. Je me demande d'ailleurs si elle n'est pas amplifiée par mon sentiment d'être en dehors de tout, dans ces îles où je n'ai plus de repères.

Nous nous arrêtons d'abord à Gimmsøy, où le soleil baigne de sa lumière orangée la façade d'une chapelle de bois toute blanche. Elle est entourée d'herbes pourpres et légères qui ondulent sous la brise et paraissent douces comme des plumes. Derrière, le ciel est gris charbon. Le contraste entre l'ombre et la lumière est saisissant. Mais c'est la lumière qui prend toute la place, majestueusement, en avant-plan.

Anna, Larry et Varg s'amusent, complices. Ils semblent se rappeler des souvenirs de vacances au même endroit quelques années plus tôt. Je ne participe pas à leurs rires en cascade, je suis étrangère à leurs souvenirs, étrangère à leur état d'esprit, étrangère à leur langue, étrangère tout court. Pourquoi semblent-ils quand même me faire une place près d'eux, alors que, plus tôt, quand ils parlaient des réfugiés, je sentais une méfiance, une forme de racisme latent, un désir de s'en tenir éloignés? J'imagine qu'être touriste ne représente aucune menace culturelle ou économique. On peut bien m'inviter quand on sait que je repartirai.

Passé Gimmsøy, Anna s'arrête au bout d'un chemin de terre parsemé de galets. Nous sommes tout près de la mer et, à notre gauche, des golfeurs de minuit frappent des balles, tandis que le soleil s'apprête à plonger dans l'océan. Ce que disait Anna est vrai: cette lumière est la plus belle du monde. J'aurais tant aimé la regarder avec André! Il aurait adoré jouer au golf à cet endroit. On aurait même pu, en marchant plus au sud, trouver un bout de plage où nous aurions été seuls et où nous aurions fait l'amour en contemplant nos visages incendiés par les rayons de la nuit.

J'adorais regarder André pendant l'amour, surtout quand il parvenait à l'extase. C'était comme si le plaisir et la douleur se rejoignaient. Il fermait les yeux pendant deux ou trois secondes et, après, il me souriait avec tellement d'amour au fond du regard que j'avais l'impression que nos âmes se touchaient, fusionnaient, dansaient ensemble. Je n'avais jamais auparavant partagé une telle intimité. Il faut éprouver une grande confiance pour se laisser pénétrer par le regard d'un homme et beaucoup d'amour pour oser entrer dans le sien.

Le soleil a touché la mer, il s'est écrasé sur elle paresseusement. Le cercle orangé s'est aplati et il est remonté tout doucement dans le ciel pour faire naître une autre journée. Le grand Larry a sorti de son sac à dos une bouteille de bourgogne et des verres en plastique. J'ai bu silencieusement en m'efforçant de sourire quand il le fallait. Varg a osé prendre la main de Larry et lui donner un baiser, furtivement. Ni l'un ni l'autre n'avait une allure efféminée, rien qui puisse laisser deviner leur orientation sexuelle. Ils n'habitaient pas ensemble à Oslo, avais-je compris à travers leurs propos, à l'heure du souper. Au fil de la conversation, j'avais appris que Varg était père d'un enfant de quinze ans, qu'il avait eu avec une femme dont il avait divorcé après des années de vie commune sous le signe du mensonge. Même le fils ignorait l'homosexualité de son père.

Je me demandais comment on pouvait faire pour taire son amour aussi longtemps. Comment, d'ailleurs, André avait-il pu me cacher à sa famille après s'être séparé d'Alice? N'a-t-on pas envie de crier son bonheur à la terre entière quand on est touché par la grâce de l'amour? Toute cette hypocrisie imposée par la réprobation sociale…

Le mensonge faisait sans doute l'affaire de tout le monde. Comme la politesse chez les diplomates, les faux-semblants avaient la valeur d'une convention, pour éviter le malaise, les esclandres ou la rupture des liens. Dans le mensonge, tout le monde sauvait la face: les homosexuels au placard continuaient d'être accueillis en société et les homophobes n'avaient pas à porter l'odieux de leurs préjugés.

En usant de faux-semblants, André, lui, avait préservé son image lisse de gentleman et avait placé sa famille à l'abri de la honte, en quelque sorte. Sans aller jusqu'à mentir à ses proches à notre sujet, il s'était réfugié dans des demi-vérités pour s'épargner des jugements. Il n'avait pas quitté Alice pour une autre femme, avait-il dit, mais parce que leur amour était mort. Il y avait bien une autre femme, avait-il reconnu, mais à sa famille, il avait dit que j'étais une «bonne amie». À moi, il disait que j'étais la femme de sa vie.

Anna avait suffisamment d'ouverture d'esprit pour aimer Larry et Varg pour ce qu'ils étaient vraiment. Avec elle, loin de leur chez-soi, ils trouvaient une liberté qui devait leur faire un bien fou. Peut-être était-elle gaie elle aussi. Son allure sportive, garçonne même, pouvait le laisser croire. Elle n'avait jamais eu de mari et elle était partie au loin ouvrir ce gîte en solitaire après avoir pris sa retraite de l'enseignement. D'une nature passionnée, elle avait dû être une enseignante formidable. Elle s'émerveillait des plus petites choses de la nature : la couleur du sable, la douceur du vent, l'odeur du large, la forme d'un rocher, les rainures d'une feuille, la délicatesse d'une fleur. Elle était sensible à tout ce qui l'entourait et cela la rendait radieuse.

Quand nous avons fini la bouteille de vin, Anna nous a ramenés chez elle. Dans la voiture, elle s'est mise à chanter avec Varg et Larry. C'étaient des chants traditionnels norvégiens. Ils étaient joyeux. Moi, j'étais perdue dans mes pensées.

*

Pour le soir de mes trente ans, André m'avait acheté une magnifique robe cocktail d'un noir chatoyant. Il m'avait demandé de la mettre et de me maquiller. Il m'avait regardée avec douceur et désir quand j'avais enfilé mes bas résille et que j'avais laissé glisser la robe soyeuse sur mes hanches. Il adorait les courbes de mon corps, détestait la maigreur des mannequins. Je me souviens encore de sa main posée sur ma taille et de la tendre fermeté avec laquelle il m'avait attirée vers lui pour m'embrasser. Pendant que je me maquillais, après avoir dénudé ma nuque de ses doigts en soulevant mes cheveux noirs, il l'avait parcourue de ses baisers. J'avais ressenti un grand frisson et j'avais eu du mal à appliquer le rimmel sur mes cils sans tacher mes paupières !

Après, il m'avait pris la main, m'avait contemplée avec le délicieux sourire espiègle qui creusait des fossettes sur ses joues, m'avait entraînée jusqu'à sa voiture et emmenée jusqu'à un restaurant français que je ne connaissais pas. En ouvrant la porte, j'avais aperçu, stupéfaite, toute ma famille et mes meilleurs amis qui s'étaient retournés vers nous pour me chanter *Joyeux anniversaire*. Comment André avait-il pu retracer tous ceux que j'aimais? Cela m'échappe encore. Notre amour était tout neuf et nous avions été si jaloux du temps passé ensemble que très peu de mes proches avaient pu le rencontrer.

Il était beau comme un prince, ce soir-là, dans son élégante chemise noire et son complet anthracite. Il ressemblait à un Italien du Nord. Il charmait tout le monde avec son humour et ses belles manières. André pouvait s'adapter à tous les milieux. Il s'intéressait à tant de choses et possédait des connaissances si variées qu'il savait toujours trouver un sujet de conversation adapté à son interlocuteur. Je n'ai jamais connu quelqu'un d'aussi cultivé. André pouvait causer de littérature, de cinéma, de technologie, d'économie, d'escalade, de hockey, de peinture ou de politique, et jamais il ne s'empêtrait dans l'ignorance. J'étais toujours impressionnée de constater que son savoir ne se limitait pas à la surface des choses.

Ce soir-là, j'ai été heureuse. Et j'ai senti du bonheur aussi chez André. Ce soir-là, il avait combattu la tristesse. Il était fort, il avait surmonté son sentiment de culpabilité et il était fier de rendre heureuse celle qu'il avait choisi d'aimer. Ce soir-là, André vivait dans l'instant présent, sans penser au traumatisme du divorce.

Les sourires de ma soirée de fête reviennent m'illuminer comme de petits éclairs. André avait une façon de sourire qui me faisait fondre, quelque chose d'enfantin au fond des yeux, d'irrésistibles fossettes et aussi un air désinvolte que je trouvais hyperséduisant.

Il n'y a plus jamais eu de fête à célébrer. Il n'y aura plus que le sinistre anniversaire de sa mort, comme un jour maudit qui reviendra nous hanter chaque année.

*

Chez Anna, je tire les rideaux pour dormir, mais le satané soleil les traverse et je roule dans mon lit pendant au moins une heure avant de trouver le sommeil. Au réveil, après la douche, il faut bien manger, alors je regagne la cuisine, où Anna boit son café pendant que Varg et Larry font la grasse matinée.

— Bonjour, Satie! Allez-vous escalader la Svolvaergeita aujourd'hui?

— Qu'est-ce que c'est?

— Vous avez remarqué le pic rocheux qui domine Svolvær? Il ressemble à une tête de chèvre, avec les cornes. C'est pour cela qu'on lui a donné ce nom. *Geit* signifie « chèvre » en norvégien. Beaucoup de gens qui viennent ici aiment l'escalader. Là, sur le frigo, il y a une photo de moi sur les cornes.

Je n'arrive pas à croire qu'elle ait pu faire ça. Bon Dieu! Sauter d'une corne à l'autre à une telle hauteur et sur une si petite surface d'atterrissage!

— Vous avez fait ça à vingt-cinq ans, ou quoi? ai-je demandé en regardant la photo où elle apparaissait, de loin, juchée sur la pointe d'une corne.

— Oui. Mais j'ai recommencé! Cette photo date d'il y a trois ans; j'avais donc cinquante-sept ans.

— Oh! là! là! En tout cas, je laisse ça à d'autres. J'aurais bien trop peur!

— Vous aimez les îles?

— Elles sont magnifiques, Anna. Mais je ne m'y sens pas très bien…

— Ah bon? Mais pourquoi donc?

— J'ai le sentiment d'étouffer. Les paysages sont d'une beauté féroce, de laquelle je me sens prisonnière. Il manque d'espace entre la mer et les pics rocheux.

— Quelques personnes ressentent cela ici, en effet. Moi, par contre, j'habitais la terre ferme à la même latitude, auparavant. Mais c'est ici que je me suis toujours sentie chez moi. Peut-être devriez-vous retourner vers Vestvågøy? Là-bas, les montagnes sont plus rondes et il y a plus d'espace et de verdure.

J'ai dû y passer la veille, en voiture, mais je ne me rappelle pas bien. Anna repousse le sucrier et le café sur la table et déplie une carte des îles. Elle pointe des endroits qui pourraient m'apaiser. Je ne peux plus louer la voiture, trop cher. Alors, elle m'offre gentiment son vélo. C'est une longue excursion, mais une jeune femme en forme comme je semble l'être à ses yeux devrait y arriver. De toute manière, la noirceur ne va jamais devenir un obstacle et, ainsi, j'ai devant moi bien des heures. Il faut seulement que je trouve la volonté de vaincre la force d'inertie qui me plombe.

Je demande à Anna comment sont les hivers dans les îles. Aujourd'hui, avec le traversier, personne ne manque de rien. Mais, à une autre époque, il n'y avait à manger que du poisson séché en hiver. Quelques fermiers produisaient bien des œufs, du lait et de la viande, mais ils n'arrivaient pas toujours à vendre leurs denrées au marché.

Anna me raconte la vie au dix-neuvième siècle, quand les familles se retrouvaient isolées, prises entre mer et montagnes, la banquise empêchant la navigation, et la neige, impérieuse, emprisonnant les routes. Je ne sais plus exactement où, mais, dans une des îles, une avalanche avait tué un père et une mère de famille allés à la grange nourrir les animaux pendant que leurs enfants étaient restés à la maison. La masse de neige avait épargné la demeure, mais pas l'étable. Du reste de l'hiver, il n'y avait plus rien eu à manger, les animaux ayant péri. L'aîné, âgé d'à peine treize ans, était donc parti à pied chercher du secours, laissant ses deux cadets isolés et anxieux. Il avait gravi courageusement la montagne, seul, mal équipé, sans nourriture, et il était ainsi parvenu, après des jours de combat contre une nature hostile, à sauver son frère et sa sœur de la mort.

J'étais obnubilée par cette histoire tragique. Si, à peine sorti de l'enfance, cet adolescent avait trouvé le courage de s'accrocher à la vie malgré la perte la plus effroyable qui fût, celle de ses parents, pourquoi est-ce que, moi, qui ai encore tant de gens prêts à m'aimer, pourquoi, moi, je flirte avec la mort?

Cet adolescent d'un autre siècle avait en commun avec le vieil homme de Bodø d'avoir choisi la vie malgré ses plus mauvais tours. Finn avait même retrouvé le bonheur de vivre après avoir tout perdu : sa famille, son emploi, son statut social, son cercle d'amis. Finn avançait seul comme ce garçon dans la neige, malgré l'adversité. Il avait su voir le bleu du ciel quelque part, il avait su que la lumière, un jour, traverserait l'épaisseur des nuages, il avait su trouver une raison de vivre en dehors de ce que chacun cherche aujourd'hui : l'amour, la famille, la carrière.

Et moi ? J'avais perdu mon amoureux, le grand amour, mon avenir. Mais est-ce que la mort d'André m'enfermait dans une solitude éternelle ? Est-ce qu'elle me couperait de l'amour pour le reste de mes jours ? Est-ce que la mort d'André était une condamnation à la souffrance sans autre issue que ma propre mort ? Finn et ce garçon dont j'ignore le nom n'étaient-ils pas mes étoiles de Bethléem ? Fallait-il plus de courage pour vivre ou pour mourir ?

Anna continue de parler sans que je l'écoute vraiment. Ses mots flottent dans le vide comme en apesanteur, détachés les uns des autres, sans plus avoir de sens pour moi. Elle finit par se rendre compte que mon esprit vagabonde.

— Bon, j'ai assez parlé. Je vous ennuie certainement, ma pauvre Satie. Je vous laisse déjeuner, maintenant. Surtout, n'hésitez pas à prendre le vélo si vous en avez envie. Je n'en aurai pas besoin aujourd'hui. Je vais en kayak avec Varg et Larry.

— Merci, Anna. Vous êtes si gentille…

Il reste vingt-quatre heures à attendre avant que je puisse m'évader des îles. Si je reste en vie, il me faut bien tuer le temps. Il n'y a aucune possibilité de partir plus tôt. Le grand traversier blanc ne passera que demain. Je mets donc des provisions dans mon sac à dos et j'enfourche le vélo. Je pédale à m'en enflammer les mollets. Paradoxalement, la douleur qui s'intensifie me donne l'énergie de poursuivre ma route. J'ai besoin de la ressentir ailleurs qu'au fond de mon cœur, j'ai besoin qu'elle soit plus vive encore que mon chagrin. Il faut faire souffrir mon corps pour anesthésier mon âme.

Je m'arrête pour observer des séchoirs à morue. Il y a des milliers de poissons sous le vent. Leur odeur nauséabonde s'étend à des kilomètres. Mais ces formes grises qui découpent l'azur de l'Arctique sont belles et pittoresques.

Plus loin, j'atteins une très longue plage blonde qui accueille des vagues mousseuses. Il n'y a personne. Je suis trempée de sueur et, après avoir contemplé l'océan pendant quinze minutes, immobile, je cours vers lui et me laisse submerger dans ses eaux froides. C'est seulement une souffrance de plus et, encore une fois, je ne trouve pas le courage d'en finir. En me relevant, je hurle jusqu'au bout de mon souffle et éclate en sanglots. Je reste longtemps dans les vagues, gelée, brisée, mais debout.

Quand mes larmes sont taries, je marche jusqu'à

la plage, où je n'ai rien pour me sécher. Je m'étends sur le sable chaud comme une naufragée et laisse le soleil me réchauffer un peu. Au moindre coup de vent, toutefois, je frissonne.

Je perds la notion du temps. Je finis par vaincre ma léthargie et reprends le vélo, avale les kilomètres, la bouche sèche et le corps exténué. J'avance sans plus rien voir sinon la route grise qui paraît interminable. Si seulement je pouvais rentrer dans une chambre d'hôtel anonyme où personne ne me poserait de question sur mon état… Mais je dois affronter Anna avec mes cheveux ensablés, mes vêtements fripés et mes yeux rougis. En attaquant la dernière pente et la dernière courbe de mon long parcours, je l'aperçois, assise sur un fauteuil de jardin posé comme un trône sur sa galerie. Elle m'observe un moment, inquiète.

— Satie! Mais que vous est-il arrivé?
— Rien, Anna. Rien…

Elle continue de me fixer avec des yeux pleins d'angoisse et je me mets à pleurer à torrents. Elle pose une main sur mon épaule et, de l'autre, attrape doucement mes doigts pour m'attirer dans sa maison, à l'abri des regards. Je m'assois sur le canapé orange du salon. Elle va chercher une couverture, dont elle m'enveloppe avec précaution, comme si j'étais un objet de verre. Elle s'assoit devant moi, sans parler, interloquée, mais avec sa question toujours au fond des yeux. Après un long moment, elle me dit:

— Vous m'inquiétez, Satie.

— Je sais, je suis inquiétante… Je suis désolée. Je vais repartir demain et vous n'aurez plus à vous faire de souci pour moi.

— Votre départ ne va pas me rassurer. Qu'est-ce qui vous arrive?

— Je… je ne vis pas une rupture, mais un deuil. Mon amoureux s'est tué.

J'ajoute avec une pointe de colère:

— Voilà, vous savez tout, maintenant.

— Je suis vraiment désolée, Satie. Je comprends votre douleur…

— Non, vous ne comprenez pas! Personne ne comprend cette douleur-là! Ça n'a rien à voir avec un accident ou une maladie ou n'importe quelle fatalité qu'on ne choisit pas. C'est une trahison, c'est une fichue trahison! C'est l'histoire d'un homme qui dit avoir trouvé la femme de sa vie et elle, elle y croit. Elle aussi, elle croit avoir trouvé l'homme de sa vie. C'est avec lui qu'elle se voit vieillir et c'est la première fois qu'elle a une telle confiance en l'amour durable et, tout à coup, bang, il n'est plus là. L'amour s'est pendu au bout d'un câble orange; sont morts avec lui tous les rêves, tous les beaux jours, tous les sourires, toutes les caresses, toute la tendresse, tous les échanges, toute la complicité, toute la confiance. Me reste un grand trou dans le cœur. La gangrène me dévore, il grossit, le trou, et j'ai l'impression que je vais mourir aussi parce que je ne trouve plus de raison de vivre.

— Vous êtes fâchée et triste…

— Mais bien sûr! Comment pourrais-je lui pardonner de m'avoir fait croire au ciel, et même de m'avoir fait goûter au ciel, si c'était pour m'offrir aussitôt l'enfer en héritage?

— Satie, je ne crois pas qu'il ait fait ce choix.

— Ah! non? Vous croyez que quelqu'un l'a fait à sa place, peut-être?

— Ne soyez pas sarcastique. Votre colère est normale, mais votre amoureux était certainement aveuglé, placé devant le mur opaque de la souffrance, ce qui explique peut-être son geste.

— Mais nous étions si amoureux, dis-je, tristement cette fois. L'amour aurait dû apaiser sa douleur, l'amour aurait dû lui faire oublier ses tracas, lui faire voir la lumière au-delà du mur.

— Vous vous en voulez peut-être de ne l'avoir pas assez aimé pour lui enlever sa souffrance?

— C'est ça, oui. C'est exactement ça.

— Ce serait bien, oui, si l'amour était plus fort que tout. Mais vous l'avez aimé et je suis certaine qu'il a senti la force de votre amour, Satie.

Anna s'approche de moi doucement et je laisse ma tête se déposer sur sa poitrine, comme une enfant recroquevillée dans les bras de sa mère. Je pleure pendant qu'elle caresse mes cheveux.

Comment exprimer le réconfort dont elle m'enveloppe avec ses doigts légers? Je prends d'Anna ce que je n'aurais jamais pu demander à aucun de mes proches. Le besoin d'être consolée, je le ressens depuis les premiers instants de mon deuil, mais j'ai fui tous ceux qui auraient pu le combler. Et voilà que je m'épanche dans les bras d'une Norvégienne que je ne connaissais pas deux jours plus tôt.

Anna ne me juge pas. Et, si elle le fait, je ne porterai jamais le poids de son jugement, je serai partie dans vingt-quatre heures. Je ne la reverrai plus. Anna sait si peu de choses de ma vie, elle n'a rien pour asseoir ses jugements. Pour elle, je suis une page blanche sur laquelle je viens d'inscrire quelques mots graves. Ce qu'elle sait de moi est suffisant pour imaginer un horizon, mais trop peu pour dessiner une interprétation.

Anna se souviendra de moi, je me souviendrai d'elle; toujours, sans doute, mais il n'y aura dans nos mémoires que les instants brefs vécus ensemble et non toutes les histoires qu'on échafaude avec nos proches et qui constituent souvent de fausses pistes pour nous définir. Ma mère, par exemple, garde le souvenir de peines que je lui ai confiées et, parce qu'elle ignore les dénouements heureux ou les réflexions qui les ont suivies, elle imagine que je les porte encore et que ceux qui les ont causées sont des monstres. Parfois, quand on cherche la consolation, on se donne le rôle de la victime en dénaturant un peu le fond des choses. Celui qui nous aime est toujours prompt à croire à notre version des faits, pourtant incomplète.

Anna ne m'aime pas pour qui je suis, mais seulement pour ma valeur intrinsèque. Sa sollicitude est humaniste; elle n'est en rien liée à la connaissance et n'a donc pas de parti pris. Que je sois responsable ou non de la mort d'André, cela n'a pas d'importance pour elle.

Quand je sèche mes larmes, Anna se lève et nous sert du thé, que nous buvons en silence, côte à côte;

ni amies ni étrangères, quelque part entre les deux. Après, elle me conduit à ma chambre. Je m'allonge sur le lit et elle tire les couvertures sur moi. Je retrouve une impression de sécurité qui ne m'avait plus habitée depuis l'enfance.

*

J'ai dormi. Bien. Pour la première fois depuis longtemps. Maintenant, il est temps de partir, de sortir de la gueule de ces îles aux crocs géants. Je prévoyais remonter à bord du traversier, mais Varg et Larry proposent de me raccompagner en voiture jusqu'à Bodø. Je ne savais pas qu'on pouvait gagner les îles par la voie terrestre. Enfin, il y aura un traversier après que nous aurons longé un chapelet d'îles, mais la voie maritime sera brève.

Varg et Larry iront jusqu'à Oslo, mais après quelques nuits de camping dans les montagnes au sud de Bodø. C'est là qu'ils me déposeront pour que je puisse reprendre un avion.

Je tends à Anna les couronnes pour payer mon séjour dans son gîte. Le regard mouillé, elle me rend la moitié de la somme en arguant que tout coûte vraiment trop cher en Norvège. Je regrette alors d'avoir donné des détails sur l'écart du coût de la vie entre nos pays. Gênée, j'insiste pour qu'elle prenne ce que je lui dois, mais je renonce quand je sens poindre la vexation. Après, il y a nos étreintes émues et les autres, plus joyeuses, de Varg et de Larry, qu'elle prie de revenir l'été prochain.

— J'espère que vous reviendrez aussi, Satie. Ce ne sera sans doute pas l'an prochain, mais un jour, avec les enfants que vous aurez. J'espère les connaître.

Anna voit déjà d'autres vies dans la mienne. L'image me saisit. Moi, des enfants? Sans André? C'est encore inimaginable. Pourtant, Anna vient de semer quelque chose qui ressemble timidement à l'espoir.

BODØ II

Varg et Larry discutent en norvégien et, tout au long de la route, leur conversation devient un tapis sonore presque moelleux sur lequel tombent des miettes d'André.

Je me rappelle les étreintes du matin quand son corps tout chaud venait se lover contre le mien et que sa main douce et ferme remontait lentement mon ventre jusqu'à mes seins. J'aimais alors poser ma main sur la sienne, la serrer contre mon cœur, sentir que nous ne faisions qu'un. J'aurais fait durer ces instants pour l'éternité. Je me rappelle ses lèvres chaudes sur ma nuque, son souffle qui chatouillait mon oreille, la tendresse de ses baisers, son sexe qui durcissait contre mes fesses.

J'ai peur d'oublier le film de mon histoire d'amour avec André, dans ses beaux jours. Il ne me revient que par éclairs. Je me rappelle ses bras tendus quand il rentrait du bureau et qu'on se retrouvait, je me rappelle ses gestes fluides et précis à l'heure du rasage, sa manière virile de retirer son chandail, les étincelles dans son regard quand il me trouvait sexy. Je me souviens aussi de sa détresse. Mais j'ai oublié le rythme singulier de sa respiration, j'ai oublié son odeur, j'ai perdu la sensation de ses boucles blondes entre mes doigts. André m'échappe. C'est affolant! Je voudrais le retenir pour qu'il demeure avec moi. Si je rencontre un homme qui porte son parfum boisé, je le reconnaîtrai dès la première seconde, mais jamais plus il n'y aura son odeur à lui, celle de sa peau, celle de son sexe, subtile et invitante.

J'aimais le quotidien avec André. Toutes les choses simples comme les repas qu'on cuisinait, les conversations sur la politique ou l'éducation, la route qu'on faisait ensemble vers le palais de justice, les moments de folie quand on jouait avec Pierre-Luc, les longues marches dans les rues bigarrées de Montréal. J'aimais l'harmonie qui nous unissait; les semaines avant la dépression, quand notre désir nous portait vers un horizon infini et après, quand de temps à autre la maladie prenait une pause.

Je suis avec Varg et Larry, mais en dehors d'eux. Ils ont naturellement compris mon besoin de me tenir à distance. De temps à autre, Larry, qui est assis sur le siège du passager, se retourne pour me demander si tout va bien ou si j'ai faim. Je n'ai plus faim depuis la mort d'André. J'ai dû perdre dix kilos, déjà. Mais je lui dis de s'arrêter quand ça leur convient. Avec un air naïf au fond de ses petits yeux vifs, Larry me demande si les paysages me paraissent exotiques ou familiers. Des montagnes pointues aux pieds verdoyants et aux sommets couverts de blanc défilent sous mes yeux. On dirait les Rocheuses des cartes postales. Au Québec, les montagnes sont vieilles et rondes; elles courbent l'échine. Celles d'ici sont jeunes, flamboyantes, arrogantes, comme des diamants qui narguent le ciel.

Je devrais téléphoner à mes parents pour les rassurer, mais je ne sais pas si j'arriverai à être rassurante. Papa ne s'en fait sans doute pas trop. Il est habitué à mon absence. Nous n'avons pas vécu ensemble depuis mes cinq ans. Il ne me connaît qu'à demi, puisque je ne le voyais qu'un dimanche sur deux. Je crois qu'il ne connaît pas ma fragilité. Maman, elle, doit être rongée par l'anxiété.

J'ai longtemps vécu seule. Je suis partie de chez ma mère à dix-huit ans et j'ai changé de ville. J'ai collectionné les amoureux sans que ma famille le sache. Rares sont les hommes que j'ai présentés à mes parents. Avant André, j'ai toujours pensé que j'avais attrapé de ma famille la maladie du divorce et qu'en conséquence je n'étais pas faite pour la vie à deux. Je me voyais aussi instable que mes parents l'avaient été. Ils ont dû avoir l'un et l'autre quatre ou cinq partenaires après leur mariage. Beaucoup d'étrangers étaient entrés dans ma vie pour en ressortir aussitôt. Je me suis attachée aux premiers et après j'ai gardé mes distances pour éviter les déchirements à chaque départ. Il y a des conjoints que j'ai détestés, surtout l'Arthur de ma mère, un parasite qui vivait à ses crochets sans jamais rien lui donner en retour. Il était refermé sur lui-même, imperméable au monde extérieur. Et laid, en plus. Je n'ai jamais su ce qu'elle lui trouvait.

Quand je suis tombée amoureuse d'André, pour la première fois de ma vie j'ai eu l'impression de ne plus avancer sur une glace mince. Le lien qui nous soudait était si fort qu'il m'enlevait mes peurs. Avec lui, j'étais parvenue à envisager le couple comme l'engagement d'une vie. Il m'avait apporté la confiance. Elle est morte avec lui. Je m'en veux d'avoir cédé à l'illusion du bonheur. Ou plutôt de n'avoir pas su le garder vivant en lui donnant une foi inébranlable en notre amour.

*

Je ne regagnerai pas Oslo tout de suite. En remettant les pieds à Bodø, je suis saisie par l'envie pressante de revoir Finn. Je veux élucider sa part de mystère. Je veux comprendre comment il a retrouvé l'envie de vivre. Je veux savoir si ce désir de vie est authentique ou fabriqué.

Un taxi me conduit chez lui. Je frappe à sa porte, mais il n'est pas là. Alors, j'attends patiemment sur le seuil avec mes valises. Il ne paraît même pas surpris quand il rentre deux heures plus tard et qu'il m'aperçoit dans le corridor gris. Son visage s'éclaire d'un sourire ému.

— Je vous offre le gîte? demande-t-il, rayonnant.

— Vous pouvez me faire de la place pendant deux ou trois nuits?

— Mais bien sûr, Satie! Vous resterez aussi longtemps que vous le voudrez.

— Je veux venir avec vous servir des repas, Finn. Vous me prendrez avec vous?

— Attention, je risque de vous garder! On a toujours besoin d'aide, vous savez… Alors, c'était comment, les îles?

— Angoissant. Je me sens mieux sur la terre ferme.

— Vous êtes fatiguée?

— Oui, j'ai sommeil.

Finn ouvre un canapé-lit dans le salon et va chercher des couvertures de laine bleue. Il se retire dans sa chambre avec un livre et me laisse m'endormir sans plus me poser de questions, suscitant ainsi ma gratitude.

J'ai décidé que je n'aurais plus peur de Finn. Cet homme a croisé ma route pour m'apprendre quelque chose, j'en suis maintenant convaincue. Il faut me laisser guider par ma curiosité sans être intrusive. J'ai envie d'observer Finn pour vérifier les dessous de sa façade ensoleillée.

*

La salle communautaire, d'un blanc jauni, est vaste et presque vide pour le moment. La cuisine est le seul endroit où des gens s'activent. Nous sommes sept ou huit à hacher des légumes pour la soupe, dans laquelle on ajoutera des pâtes et un peu de bœuf. Mes nouveaux collègues semblent blaguer ensemble, mais je n'y comprends rien. Parfois, l'un d'eux me pose une question dans un anglais approximatif pour m'inclure un peu dans le groupe. Je suis encore la touriste canadienne, une sorte de vision exotique. Mais on semble habitué ici à recevoir des gens de passage et l'attention se tourne à nouveau assez rapidement sur le travail à accomplir.

Le bénévolat, m'a dit Finn, n'est pas l'affaire de tout le monde. Plusieurs tentent l'expérience un moment pour la trouver finalement trop engageante. Ils se retirent alors et laissent la place à d'autres gens désireux de donner un sens à leur vie, mais souvent mal préparés pour accueillir la misère. Certains pensent pouvoir faire la différence rapidement dans la vie des autres et sont déçus quand ils constatent que la pauvreté s'incruste comme la graisse dans un tissu. Une fois qu'elle tache une famille, il est bien difficile d'effacer sa trace et, quand elle a couvert des générations, on ne sait plus bien si c'est la pauvreté intellectuelle qui engendre la pauvreté matérielle ou bien si c'est l'inverse.

Beaucoup de nouveaux retraités voient dans le bénévolat une manière de rester actifs et utiles, mais, après quelques semaines de travail, ils découvrent qu'ils ont bien davantage envie de vacances que d'engagement social. Les voilà envolés, après avoir feint la maladie ou une fatigue immense.

Ceux qui restent à la mission sont soit très religieux et motivés par le gain d'une place au ciel, soit purement et simplement généreux. Peut-être aussi que quelques-uns, comme Finn, ont l'impression qu'à force de bonté ils finiront par racheter un passé trouble.

Qui suis-je, moi, parmi ces gens? Je suis là, à la recherche de réponses. Je suis là à enquêter sur le prétendu bonheur de Finn. Je suis là bien égoïstement, au fond. Mais, puisque c'est une question de vie ou de mort pour moi, puisque Finn semble détenir la clé du deuil, je pourrais aussi dire que je fais du bénévolat pour ma survie, laquelle justifierait mon égoïsme. Mais peut-être que tous les dons sont égoïstes dans la mesure où l'on attend une forme de retour. Sans réciprocité aucune, les liens ne tiennent pas. Quelqu'un accorde sa confiance, on lui prête volontiers notre oreille. Quelqu'un donne son amour, il ne le fera pas à sens unique indéfiniment. Quelqu'un donne son temps, il espère une forme de reconnaissance. Sans elle, à quoi bon continuer? Le don marque une dette et, si le compte ne s'équilibre jamais, la relation d'aide, d'amour ou d'amitié fait faillite.

— Satie, vous allez m'aider au service tout à l'heure, m'annonce Finn joyeusement. Vous resterez près de moi et je vous présenterai à nos invités.

Ses invités. C'est ainsi qu'il appelle les miséreux qui viennent se nourrir à la mission. J'aime bien ce mot. Chez nous, on aurait dit des bénéficiaires ou des clients. Il n'est pas question ici non plus d'appeler la pauvreté par son nom, mais on s'éloigne de la langue de bois, on enjolive les choses avec un mot qui suffit à laisser à chacun sa dignité.

Je ne retiens qu'un seul nom parmi la trentaine d'invités qui me sont présentés par Finn. Celui de Katrin, une jeune femme craintive qui serait belle avec des vêtements plus seyants et une coiffure soignée. Elle est la seule jeune personne dans le groupe. Toutes les autres ont cinquante ans passés, plusieurs souffrent de maladie mentale ou d'un retard intellectuel, quelques-unes ont dû être remerciées de leur emploi à un âge trop avancé pour espérer être réembauchées ailleurs.

Après le service, Finn m'invite à prendre un bol de soupe à mon tour, car nous allons rejoindre une des tables d'invités. Je n'imaginais pas qu'il s'approchait autant des convives. Je croyais qu'il était un hôte un peu distant qui aurait voulu donner l'impression de s'être sorti de la misère. Au contraire, en mangeant avec ceux qu'il sert, Finn montre qu'il communie toujours à cette chienne de misère.

— Vous mangez toujours avec vos invités?

— Immanquablement, me répond Finn pendant que nous avançons à pas lents vers la table de Katrin, qui porte la cuiller à sa bouche, le regard baissé.

— Pourquoi vous faut-il vous joindre à eux?

— Parce qu'ils sont une de mes bonnes raisons de vivre.

— Vous vous servez d'eux, alors?

— Vous êtes cynique, Satie!

— Je vous demande pardon, Finn…

— Je comprends votre manière de voir les choses, Satie. Mais, tout ce qui se passe ici, c'est de l'entraide et du partage. Je pourrais cuisiner avec des étrangers et m'en aller sitôt la soupe servie. Je préfère investir mon temps avec des personnes, créer des liens, donner de l'espoir et gagner des sourires. Dans la vie, on ne s'en sort pas toujours financièrement et la santé peut faire défaut, mais je veux montrer que la solidarité existe. N'est-elle pas une bonne raison de continuer à vivre et à espérer? De savoir qu'on n'est pas seul, c'est probablement plus important encore que la soupe, même quand on crève de faim.

Le discours posé de Finn en réponse à mes questions maladroites, teintées de la colère qui accompagne mon accablement, me réduit au silence pendant tout le dîner. Finn a découvert l'entraide comme moyen de transcender sa souffrance. Que vais-je trouver, moi, pour aller au-delà de la mienne?

Finn s'adresse à Katrin en norvégien et réussit à lui tirer un faible sourire, de même que quelques phrases. Avec deux hommes plus âgés, il rigole comme s'ils avaient fait ensemble les quatre cents coups. Je me sens mesquine d'avoir balancé à Finn cette histoire d'égoïsme. Aussi, je m'empresse de me lever de table pour aller en cuisine faire la vaisselle avec une dame aux ongles rongés et aux doigts trapus, dont les cheveux grisonnants couvrent la moitié du dos. Elle semble vouloir me parler et moi j'essaie sans trop de succès de lui montrer que je n'y comprends rien.

Quand les derniers invités partent et que la besogne est terminée, Finn et moi rentrons à pied chez lui.

— Je suis intriguée par Katrin. Elle semble intelligente et elle est jeune. Que fait-elle à la mission?

— Je ne sais pas, Satie, je n'ai pas réussi à l'apprivoiser. Elle est farouche et elle ne me dit presque rien. Peut-être qu'elle aura davantage confiance en vous…

— Vous croyez?

— Vous êtes une femme et je soupçonne Katrin d'avoir peur des hommes.

Je peux comprendre cette peur qui m'habite parfois et que je rencontre souvent chez d'autres femmes.

Pour les unes, marcher dans la rue la nuit tient de l'épreuve; pour les autres, se retrouver dans l'intimité d'une maison avec un homme nouvellement rencontré devient source d'angoisse. Depuis que nous sommes toutes petites, nous avons appris à avoir peur des hommes. Non sans raison, malheureusement.

Je n'ai presque pas pensé à André, aujourd'hui. Suis-je en train de m'éloigner de lui? Il ne faut pas, je dois garder avec moi au moins son souvenir; il faut qu'en moi il vive encore. Ne pars pas, André, ne pars pas, je t'en prie!

Quand je rentre chez Finn, je m'excuse auprès de lui et je lui confie enfin la raison de mon retour. Il avait deviné dès le premier jour que j'étais en deuil, je lui offre maintenant quelques détails sur la mort tragique d'André et mon besoin absolu de comprendre.

Après ma confession, j'ai besoin de m'isoler un moment derrière le paravent du salon, où nous avons placé le canapé-lit. Je fouille dans ma valise et retrouve un pull qui appartenait à mon amoureux. Un joli pull marin que je presse entre mes doigts et que je m'empresse de respirer, avec le vague espoir d'y retrouver des traces du parfum d'André.

Je m'allonge sur le côté en caressant la laine comme quand j'avais cinq ans et que, pour me rassurer ou me consoler, je frottais entre mes doigts le tissu soyeux de mon doudou. Mais c'est le manque plus que l'insécurité qui m'habite maintenant. Je ferme les yeux et cherche une image d'André dans ma tête. Pull magique, aide-moi, fais apparaître mon amoureux, donne-moi une photo bien nette plutôt que des contours flous!

Ça y est, je revois André le jour où il m'avait prêté le pull parce que j'avais froid. Il m'avait regardée l'enfiler et il avait eu l'air ébloui quand j'avais dénoué mes cheveux noirs.

— Mais ce pull te va à ravir, Satie! Il te va mieux qu'à moi. Tu le gardes!
— Mon amour, c'est trop… Je ne peux pas accepter, il te vient de ton père.
— Satie, j'insiste!
— Moi aussi!
— Bon, d'accord! Mais il reste chez toi. Tu le portes quand tu veux et, si j'en ai besoin, je le prends. Ça sera un petit peu de moi pour te réchauffer quand je ne serai pas à tes côtés, mon amour.

*

Je propose à Finn de repeindre la grande salle à manger de la mission. C'est un cadeau que j'ai envie de faire aux bénévoles et aux invités, celui de la couleur. Le blanc vieilli des murs semble ajouter une couche de morosité sur un lieu où la misère se rassemble. C'est presque une offense.

Finn aime l'idée. Il y a déjà un moment qu'il songe à égayer la salle, tout en ne sachant pas trop comment s'y prendre. Je tranche. Nous allons appliquer du jaune pour que ce soit lumineux et vivifiant et je trouverai du tissu bleu mer pour les rideaux.

Je demande à Katrin si elle sait coudre ou peindre. Étonnée, elle me répond qu'elle peut manier l'aiguille comme le pinceau. Je réclame donc son aide pour métamorphoser la mission. Comme elle est une des seules invitées qui parlent bien anglais, il me sera plus facile de faire équipe avec elle. Et puis, ça fait partie de mon plan pour l'apprivoiser. Katrin me touche. Peut-être parce qu'elle semble porter une désolation qui fait écho à la mienne. Ainsi, elle ne me paraît pas tout à fait étrangère.

— Avec plaisir, j'ai tout mon temps en ce moment, répond-elle à ma proposition de redécorer la mission.

— Vous n'avez pas du tout de travail?

— Non. Je n'ai pas réussi à reprendre mon emploi après mon congé de maladie.

— Oh! je suis désolée. J'espère que… enfin, j'espère que vous vous sentirez mieux bientôt.

— Mon congé de maladie a pris fin officiellement il y a deux mois. Mais, comme je me sens incapable de revenir au travail, j'ai raté ma réintégration.

— Que faisiez-vous?

— J'étais employée dans une maison de retraités.

— Envisagez-vous un changement de cap?

— Je ne sais pas. C'était tout de même très exigeant. Quoi qu'il en soit, je dois d'abord me sentir guérie.

— Donnez-vous le temps, Katrin. Comme les miens, vos parents ont dû vous dire mille fois que le temps arrange les choses. Étrangement, on oublie souvent cette sagesse… Enfin, le temps ne ramène pas tout ce que nous aurions aimé garder, mais il offre des réponses, du sens, et peut-être de l'apaisement quand il s'allonge. J'essaie de me le répéter, vous savez… Je ne veux pas m'imposer, Katrin, mais, si vous sentez le besoin ou le désir de parler de ce qui vous préoccupe, je vous prêterai volontiers mon oreille.

— Merci, Satie. Mais ça ira.

*

Ce matin, je prépare le petit déjeuner pour Finn. J'ai fait les courses hier; je veux lui offrir des œufs au bacon comme au Québec. Pendant qu'il prend sa douche, je dresse la table joliment. J'ai même trouvé des fleurs sauvages près d'ici au réveil et je m'étonne de semer un peu de gaîté autour de moi.

— Ça sent bon! s'exclame Finn en attachant les boutons de son cardigan, tandis que je lui tends une tasse de café.

— J'espère que vous aimerez et, surtout, que ce ne sera pas trop cuit.

— On dirait que vous commencez à aller mieux, ma chère Satie…

— Peut-être. Mais je crois que tout ça est bien fragile.

— Vous en êtes où, dans votre deuil?

— Dites donc, vous en avez, une question difficile! Il n'est que sept heures du matin, là!

— Y a-t-il une bonne heure pour poser cette question?

— Non.

— Mais vous avez le choix d'y répondre ou non. Je n'insiste pas.

Je bois une ou deux gorgées de café, pensive. Finn attaque son repas avec appétit, laissant le silence faire son œuvre.

— J'ai peur d'oublier André. Voilà où j'en suis.

— Et pourquoi l'oublieriez-vous?

— Une part de ce qu'il était s'évapore dans mes souvenirs et je cherche de toutes mes forces à retenir ce que j'ai vécu et senti avec lui.

— Peut-être qu'il faut en oublier une partie, Satie, pour trouver un espace dans votre cœur où pourraient se construire d'autres expériences.

— Mais, Finn, vous n'avez pas oublié vos enfants, même si vous ne les voyez plus!

— Non, bien sûr. Ils sont là, ils ont une place dans mon cœur. Mais ils n'ont pas toute la place.

— Je comprends… Mais il y a autre chose. Ma colère contre André ne veut pas se taire. Peut-être aussi que je suis fâchée contre moi-même. Enfin, c'est difficile de départager. Je m'en veux de n'avoir pas su le retenir et je lui en veux de n'avoir pas suffisamment cru en notre amour pour s'accrocher à la vie. J'imagine que je suis un peu comme vos enfants. Je ressens une sorte de trahison…

— Oui, ça se conçoit. De votre point de vue. Mais, dans le désespoir, Satie, c'est comme si toute notre vie était placée devant un miroir déformant qui grossit les ombres et réduit à néant les zones lumineuses. Votre amoureux a pu imaginer qu'il était pour vous un boulet, un obstacle à votre bonheur, à cause de sa déprime. Il a pu imaginer que sa mort vous libérerait, comme j'ai imaginé que la mienne libérerait ma famille. André a pu se sentir incapable d'être à la hauteur de votre amour et l'honorer comme il l'aurait dû. Dans le dé-sespoir, on ne voit plus ce que l'autre peut aimer en nous parce qu'on se déteste, parce qu'on ne voit plus en soi que des échecs et des défauts. On marche sur les ruines de soi avec l'envie de les enterrer. Oui, c'est la seule envie qu'il nous reste : disparaître pour ne plus se sentir brisé.

*

Peut-être qu'André s'en voulait. Peut-être même beaucoup plus que je n'arrive à le faire moi-même.

Un soir, il avait été invité à une fête avec des col-lègues et je l'avais encouragé à s'y rendre pour se chan-ger les idées. Il m'avait confié Pierre-Luc, qu'il avait pris soin d'endormir avant son départ.

André m'avait prévenue qu'il ne resterait pas long-temps, mais, à vingt-trois heures trente, il n'était tou-jours pas rentré à l'appartement et je m'étais mise au lit. J'étais parvenue à trouver le sommeil brièvement ; à trois heures, je m'étais réveillée angoissée, ne le trou-vant pas à mes côtés. Mes tentatives de le joindre par message texte étaient restées vaines ; j'avais décou-vert plus tard l'appareil dans la cuisine. J'étais coupée d'André, liée à l'inquiétude.

Que faisait mon amoureux à une heure pareille ? Avait-il trop bu ? L'alcool avalé avec les antidépresseurs peut provoquer des effets dévastateurs. J'avais pu le constater déjà. C'était comme si son anxiété avait été amplifiée, décuplée. En fait, il était passé de l'euphorie à l'anxiété aiguë. Il était devenu quasi paranoïaque. André était-il paralysé par l'angoisse, quelque part dans la ville endormie? Était-il affalé sur un trottoir? Avait-il eu un accident? S'était-il enlevé la vie?

Ces questions et leurs réponses possibles m'avaient horrifiée. Deux semaines auparavant, prise de panique, j'avais dû demander conseil à un centre de prévention du suicide, car André avait tenu des propos inquiétants.

— Bientôt, tout ira mieux. La douleur va disparaître, m'avait-il dit.

Je n'avais pas senti dans sa déclaration un véritable espoir. C'était plutôt l'inverse. Il était presque apathique et avait prononcé ces mots sur un ton monocorde. C'était au téléphone et je m'étais empressée d'aller le rejoindre chez lui après que le bénévole du centre m'eut conseillé d'enquêter sur ses plans. Cafardeux et cerné, André m'avait dit qu'il n'avait pas de plan défini pour mettre fin à ses jours. J'avais fait un pacte avec lui : si, pendant ne fût-ce que deux secondes, il pensait à se donner la mort, il devait auparavant m'en parler. J'ai l'impression aujourd'hui qu'il a accepté pour me faire taire, pour que je cesse de lui parler de ses idées noires, pour que j'arrête de m'inquiéter.

À cinq heures du matin, André n'était toujours pas revenu. Devant l'imminence du réveil de son fils, j'avais cherché quoi lui dire quand il me demanderait où était son papa. Je n'avais pas trouvé d'idée convaincante pour répondre à ses questions sans lui transmettre mon sentiment de panique. Et, non, il ne fallait pas faire vivre à Pierre-Luc le choc de la disparition de son père.

André avait vécu un abandon enfant et il en avait été traumatisé. Je sais qu'il en parlait avec la psychologue qui le suivait pendant sa dépression. Une partie de son mal-être trouvait ses origines dans l'enfance, m'avait-il confié. À huit ans, un soir, en rentrant chez lui après l'école, il avait ouvert la porte sur des pièces vides. Sa chambre d'enfant avait disparu, ses peluches, ses jouets, la télévision, les fauteuils du salon, la table de la cuisine, le lit de ses parents, tout. Il n'y avait même personne pour lui dire ce qui se passait. Personne et pas un mot laissé sur le comptoir ou sur un mur.

André s'était mis à pleurer et, frénétiquement, il était allé frapper à la porte de tous les voisins de l'immeuble en demandant qui lui avait volé ses parents. Une heure plus tard, la police arrivait et le prenait en charge.

Durant la soirée, il avait retrouvé sa mère, qui avait déménagé en silence pour se débarrasser d'un mari alcoolique et violent. Une amie devait être à l'appartement pour accueillir André et le conduire à la nouvelle adresse, mais, peu fiable, elle avait tardé et laissé le pauvre enfant à son sort.

Bien sûr, je n'allais pas répéter le malheur d'André, j'allais être là, rassurante. Mais comment être rassurante quand on a la peur au ventre? J'avais eu besoin d'aide pour faire face à la situation et, même si je ne la connaissais pas encore, j'avais décidé d'appeler la grande sœur à la rescousse. Ariane s'était empressée de venir me rejoindre, mais avant qu'elle n'arrive, André avait fait irruption innocemment sur le pas de la porte.

— Allo, ma belle! Tu ne dors pas?

— Dormir? Mais à quoi tu penses? Comment j'aurais pu dormir aussi inquiète? Où étais-tu passé?

— Calme-toi, Satie. Tout va bien. Écoute, la soirée a pris une drôle de tournure. Je suis allé reconduire ma collègue Josée, qui était complètement ivre. J'ai dû monter chez elle, sinon elle aurait déboulé l'escalier. Je lui ai fait du café, je l'ai étendue sur son sofa, on a bavardé et, comme j'avais un peu bu moi aussi, je me suis endormi. Voilà!

— Et je devrais croire ça, moi? Ta sœur s'en vient. J'étais inquiète. Et Pierre-Luc va bientôt se réveiller. Je te laisse t'en occuper. Moi, je vais essayer de récupérer.

J'étais partie fâchée, en proie au doute devant son air innocent. Trop innocent pour être crédible? Mais comment André aurait-il pu me tromper? C'était une idée insensée, notre amour était si fort et si jeune! Il m'était déjà arrivé dans le passé de saboter mes relations amoureuses, de provoquer la fuite de l'autre parce que, convaincue de ne pas le mériter, j'étais incapable de recevoir de l'amour. Mais je n'imaginais pas André atteint de l'inaptitude de mes vingt ans.

Plus tard dans la journée, il m'avait appelée et

s'était excusé mille fois pour m'avoir causé tant d'angoisse. Il n'allait pas bien du tout, il avait besoin de moi et, tellement inquiète pour sa vie, j'avais effacé mon ardoise pour lui redonner mon amour, en faire un baume sur ses plaies. Je m'étais investie à nouveau dans un rôle de sauveur, qui me renvoyait une image de moi-même bien plus noble que celle, possible, de femme trompée, mal-aimée.

*

— Satie, vous voulez les rideaux quelques centimètres sous les fenêtres ou souhaitez-vous qu'ils descendent jusqu'au plancher?

— Je ne sais pas, Katrin… Qu'en pensez-vous?

— Ils resteraient plus propres s'ils ne traînaient pas à terre, mais ce serait plus chic s'ils étaient longs…

— Soyons chics, alors!

Katrin travaille sans relâche, du matin au soir, sérieuse et concentrée. Je tiens son rythme, moi au pinceau, elle à la machine à coudre. Il y a plusieurs fenêtres à habiller et donc beaucoup de découpage, mais j'ai une main experte, façonnée par mes innombrables déménagements et réaménagements.

— Katrin, vous avez des enfants?

— Non, répond-elle sur un air triste et inconfortable.

— Vous auriez aimé en avoir?

— Oui, j'aurais aimé. Ça ne s'est pas présenté. Et maintenant il est trop tard, dit-elle avec regret. Et vous, Satie, vous avez des enfants?

— Non, pas encore. Je ne suis pas très chanceuse avec l'amour.

— Eh bien, nous avons là un point en commun, dit-elle tristement.

Katrin se rembrunit. Elle baisse les yeux et se remet à la tâche consciencieusement.

— Vous habitez seule, Katrin?

— Oui, avec mes animaux. J'ai quatre chats et un furet.

— Un furet avec les chats? S'entendent-ils?

— Très bien. Marlon Brando, le furet, dort avec Doris Day, ma vieille chatte blonde.

— Marlon Brando et Doris Day! En voilà, un couple!

Katrin rit de bon cœur. C'est la première fois que je la vois rire. Elle est belle tout à coup. Elle devient sensuelle dans la joie. Elle m'intrigue de plus en plus. Je me demande ce qu'elle cache. Il y a un drame derrière son affection détournée vers les animaux, sa timidité et sa soudaine pauvreté. J'ai envie de m'en approcher encore. Je crois qu'elle a besoin d'aide. Est-ce que je peux encore aider quelqu'un? Je ne sais pas, je suis encore très loin du bien-être, mais c'est plus fort que moi, je suis sensible à sa tristesse.

*

Le soir, après le bénévolat, je rentre chez Finn, souvent en marchant avec lui jusqu'à l'épicerie, puis vers son appartement. Il est léger; il ne parle jamais de son passé et il trouve chaque jour une raison d'éprouver de la gratitude envers la vie. Parfois, il me fait penser à un livre de psychologie populaire. Il ne prêche rien du tout, mais c'est comme s'il mettait en pratique une théorie sur le bonheur, comme s'il suffisait de dire qu'on décide d'être heureux pour l'être.

J'apprécie néanmoins cette aptitude au positivisme. Elle me tient à distance des pensées sombres qui me tenaillaient encore quelques jours avant que je le rencontre.

Finn me fait beaucoup parler d'André, aussi. Il dit que c'est important d'exprimer tout ce qu'on ressent. Lui, il a longtemps refoulé ses souvenirs et ses émotions et il croit avoir ainsi prolongé inutilement le deuil de sa famille. Je ne peux pas tout raconter de mon histoire d'amour à un vieil homme. C'est gênant. Il y a mon journal intime pour confier mes secrets. Mais, à Finn, je raconte les étincelles de la rencontre, les petites attentions dont André m'enveloppait, les jeux de chevaliers et d'épées avec Pierre-Luc, la complicité du quotidien, les rêves qu'on a brièvement échafaudés. Je nomme les sentiments de trahison que le suicide a nourris, mais aussi le flou de la soirée de fête qui s'est étirée jusqu'au matin.

Est-ce qu'on ment aussi gravement à celle qu'on dit être la femme de sa vie? Peut-être que mon importance dans la vie d'André était beaucoup moins grande qu'il ne me le disait? Peut-être que j'étais surtout une bouée à laquelle il a voulu s'accrocher pour éviter de sombrer avec le navire troué de son mariage? Ou, alors, peut-être que je n'ai pas été à la hauteur de ses rêves?

Je ne sais plus rien et tous ces doutes sont lancinants. Dans ces moments, Finn me regarde tendrement et pose sa vieille main ridée sur mon épaule, comme pour montrer qu'il comprend et que l'agressivité qui accompagne mes questionnements doit pouvoir se frayer un chemin hors de moi.

Je ne suis pas douée pour évacuer la colère. Elle est monstrueuse, ma colère, mais elle sort de moi avec une voix de souris. J'ai plus de facilité avec les larmes de la tristesse. Mais Finn dit que tout doit s'exprimer.

Alors, un soir, il sort d'une armoire de grandes feuilles de papier blanc et une boîte de pastels à l'huile qui ont déjà beaucoup servi. Il se retire en me disant de ne jamais craindre les couleurs de la laideur, pas plus que celles de la beauté.

Je suis assise sur le sol et je trace des lignes furieuses en noir et rouge. Ce n'est qu'une masse informe de lignes brisées que je chiffonne aussitôt frénétiquement. Je les reproduis en série et le bruit du papier pressé avec force par mes doigts me fait autant de bien que la violence et la densité des gribouillis. Ce sont mes cris à moi. Ils n'ont pas de visage et ne possèdent pas de bouche ni de voix pour l'exorcisme comme chez Munch, mais ils ont la couleur et la sauvagerie du tragique.

Quand j'ai vomi toute ma fureur sur le papier, mes larmes viennent le mouiller. Ma peine est sonore et Finn ose se rapprocher. Je ne réponds pas quand il demande s'il peut franchir le paravent, mais il s'avance et vient s'asseoir à côté de moi en me prenant la main.

— Finn, je voudrais tellement revoir André! Je suis fâchée qu'il soit parti en nous faisant violence. Et je suis rongée par les doutes, je ne sais plus s'il m'aimait vraiment et, malgré tout, il me manque tellement! Il y a quelque temps, j'avais peur de l'oublier et maintenant j'ai peur que son absence devienne une obsession qui me poursuivra le reste de mes jours. Sans ses bras, sans sa voix, sans ses baisers, sans sa chaleur, sans lui, je me sens misérable.

Encore une fois ce soir, Finn me borde comme si j'étais sa petite fille. De sa voix basse et mal assurée, il chante même une berceuse norvégienne pour m'apaiser. Après, je passe des heures lovée dans le souvenir du corps d'André, enlacé le long du mien. Je me rappelle avec force nos baisers de feu. Maupassant disait que le baiser est la meilleure façon de se taire en disant tout. Cette phrase magnifique me revenait souvent à l'esprit auprès d'André, car dans nos baisers se concrétisait l'intimité absolue, par nos regards qui pénétraient l'un dans l'autre en même temps que nos souffles s'emmêlaient.

*

C'est jour de fête. Katrin et moi avons décidé d'organiser une soirée de danse après le repas dominical, histoire de célébrer la nouvelle décoration de la salle et de semer un peu de joie sur des vies abîmées.

Finn, qui s'est habillé d'un veston de velours pour l'occasion, ouvre la danse avec moi qui ne sais pas bien suivre son rythme. Après quelques faux pas, je suis prise de fous rires contagieux et tout le monde, bénévoles et invités, nous rejoint sur le plancher, dans une ronde, un cercle bienveillant où chacun a sa place. Sauf Katrin qui, dans son retrait, paraît plus sombre encore que d'habitude. Je n'aime pas la voir ainsi.

Je vais la chercher pour l'amener danser avec nous, mais elle persiste dans son isolement. Moi, l'étrangère, je me sens intégrée à un groupe pour la première fois depuis la mort d'André, tandis que Katrin, femme du pays, s'en exclut, comme si elle ne pouvait y appartenir.

Quand j'ai les jambes épuisées, je me rapproche de Katrin et offre de la raccompagner chez elle, ce qu'elle finit par accepter, gênée.

— Vous pourrez me présenter Doris Day et Marlon Brando? Je meurs d'envie de rencontrer des célébrités! lui dis-je dans une tentative un peu gauche de la distraire de ses tourments.

Elle esquisse un sourire à peine perceptible, mais je sens bien qu'elle reste imperméable à mon humour. Toujours dans l'espoir de créer un lien sympathique, j'évoque mon amour pour la race féline et parle un peu de Chagall, le superbe abyssin que m'avait offert André, parti à la chasse et jamais revenu. Katrin s'intéresse à moitié à mes propos; elle est repliée sur elle-même. Par politesse sans doute, elle m'invite néanmoins à prendre le thé.

Je m'assois sur un divan au milieu du salon. Je serai couverte de poils en sortant, il n'y a pas de doute.

Elle n'a pas passé l'aspirateur dans cette pièce depuis des lustres, on dirait. Marlon Brando se cache sous un vaisselier en bois blond; il n'est pas très sociable. Mais Doris Day m'accueille avec un ronronnement de tondeuse à gazon.

D'un pas traînant, Katrin m'apporte une tasse de thé noir et s'installe sur un fauteuil en face de moi, sans rien dire, son regard bleu comme les lagons de Lofoten.

— Ça ne va pas, Katrin?

— Vous aimez Doris? me demande-t-elle en évitant la question.

— Oui, elle est très mignonne… C'est joli chez vous. J'aime bien cette photographie, là, devant.

— Elle me vient de ma mère. Elle représente le fjord de Saltstraumen, assez près d'ici. C'est là qu'on peut observer le plus fort courant de marée de toute la planète. Le bruit est impressionnant.

— Les remous semblent bien dangereux!

— Ça, si on veut en finir avec la vie, c'est l'endroit idéal…

Silence. Et frisson dans le dos. J'avais éprouvé le désir d'aider les gens de la mission pour comprendre comment Finn avait vaincu ses idées de mort et, absorbée par cette quête vitale, je n'avais pas envisagé que je rencontrerais autour de la soupe des gens attirés par la perspective d'en finir. Sans avoir la naïveté d'imaginer que j'allais m'entourer d'heureux malades et miséreux, je n'avais pas songé que j'allais fréquenter une détresse aussi profonde, pourtant encore si proche de la mienne.

— Vous avez déjà songé à la mort, Katrin?

— J'y pense, parfois.

— Qu'est-ce qui vous tourmente autant? Je m'inquiète pour vous.

— Je ne veux pas en parler.

— Je comprends la difficulté.

Je laisse passer encore un moment de silence en cherchant une autre clé pour ouvrir le temps des confidences et lui demande:

— Savez-vous pourquoi je suis ici, en Norvège?

— Non.

— Je suis en deuil de mon amoureux. J'ai eu besoin de prendre le large. Quelques fois depuis que je suis ici, j'ai eu envie d'aller le rejoindre là-haut. J'ai avancé dans les vagues et au bord des précipices, mais j'ai reculé. André s'est suicidé. Ma blessure est encore ouverte, mais elle se cicatrise lentement. Je ne sais pas ce qui vous est arrivé, Katrin, mais je sens votre douleur de très près… Et je peux aussi vous dire que de la confier la rend un peu moins vive. J'ai appris cela ces derniers temps.

— Vous étiez ensemble depuis longtemps, André et vous?

— Pas tellement, non, mais je le voyais comme l'homme de ma vie…

— Pourquoi il a fait ça?

— Sait-on jamais pourquoi une personne s'enlève la vie? Elle part avec les secrets de sa souffrance et nous laisse avec la torture de nos questionnements. Je ne crois pas tellement à une cause unique, je crois à une accumulation d'épreuves, à l'épuisement. Mais peut-être que j'ai tort, peut-être que la maladie suffit à pousser une personne au suicide.

Je mentionne tout de même à Katrin la rupture d'André avec sa femme, alors que leur enfant n'avait que trois ans. Je lui fais part aussi du fort sentiment de culpabilité qui a précédé sa chute dans la dépression.

Elle s'enveloppe dans le jeté en polar qui habillait le dossier du fauteuil et prend quelques gorgées de thé brûlant. Puis elle parle enfin, le regard rivé au plancher, la voix éteinte.

— C'est aussi une histoire d'amour qui m'a jetée à terre. Je ne devrais plus jamais m'approcher d'un homme. Ça finit toujours mal. Très mal, comme je vous l'ai déjà laissé entendre.
— Que vous est-il arrivé?
— Je suis tombée amoureuse d'un homme dont j'aurais dû me méfier.
— Pourquoi?
— Trop gentil pour être vrai.

Cet homme, Dag, l'avait d'abord traitée comme une reine. Il l'avait fait se sentir belle et singulière, il l'avait comblée de délicates attentions, lui avait fait miroiter des voyages dès qu'il aurait retrouvé un travail dans les chantiers. Il avait semé dans sa vie le rêve du mariage et d'une maison rien que pour eux deux, une maison qu'il aurait construite de ses mains.

Katrin était tombée sous le charme, elle s'était empressée de l'accueillir chez elle pour le soutenir, alors qu'il peinait à trouver un emploi. Il faisait souvent les courses et les repas, soignait la présentation de ses plats, offrait des massages relaxants de ses mains agiles. Katrin n'avait jamais tant reçu d'un homme; elle était comblée. Mais, peu à peu, les douces attentions s'étaient transformées en reproches de toutes sortes. Cinq minutes de retard, une pinte de lait oubliée ou un manque de docilité au lit, tout avait été prétexte pour diminuer Katrin. Chaque fois, la jeune femme avait douté d'elle-même et s'était oubliée pour ne plus déplaire à Dag. Elle s'était prêtée à toutes ses exigences et avait espéré que sa soumission serait une garantie contre l'abandon.

Un jour, elle était rentrée chez elle le midi pour faire une surprise à Dag qui, l'avait-elle cru, s'ennuyait tout seul chez elle. Mais il n'y était pas. Elle l'avait attendu, inquiète, avant de retourner travailler. Le soir, il n'était pas rentré non plus et son absence avait plongé Katrin dans une profonde angoisse. Elle ne dormait presque plus la nuit et sa fragilité émotive s'était gonflée.

Dag avait laissé tous ses effets personnels chez elle, et Katrin s'était accrochée à ce qu'il restait de lui pour nourrir son espoir de le revoir. Elle avait plié ses vêtements avec un soin maniaque et avait récuré l'appartement entier pour le rendre parfait et accueillant.

Un soir, après deux semaines sans donner signe de vie, Dag était apparu à la porte. Il était venu récupérer ses affaires. Katrin s'était jetée sur lui, le couvrant de baisers et le suppliant de rester avec elle. Elle lui donnerait tout ce qu'il voulait, elle redoublerait d'ardeur pour le satisfaire. Énervé, Dag s'était dégagé de son étreinte désespérée avec force et mépris, la laissant effondrée en larmes.

Après son départ, Katrin l'avait cherché partout. Elle avait enquêté comme un détective pour le retrouver. Après avoir suivi plusieurs fausses pistes, elle avait repéré le nouvel appartement de son amoureux dans un autre quartier. Elle avait observé ses allées et venues en cachette pendant un moment et décidé un soir de l'attendre à la porte.

Dag était entré dans une violente colère quand il l'avait aperçue, le regard éperdu, au fond du couloir. Elle s'était néanmoins jetée à son cou, en le suppliant à nouveau de lui revenir. Lorsqu'il avait ouvert la porte de son logement, Katrin s'y était engouffrée malgré les efforts de Dag pour se défaire d'elle. La tension avait monté d'un cran. Elle avait été poussée vers la sortie et il s'était empressé de verrouiller sa porte. C'est en vain qu'elle avait frappé encore et encore pour qu'il ouvre.

Elle n'en était pourtant pas restée là. Oubliant sa dignité, elle lui avait écrit des lettres d'amour et avait déposé à sa porte toutes sortes de cadeaux au fil des jours. Elle était encore venue l'attendre et, cette fois, excédé par sa ténacité, Dag l'avait clouée au mur en hurlant qu'il ne voulait plus la voir. En même temps, de ses mains puissantes, il avait commencé à l'étrangler. Quand il l'avait relâchée, Katrin avait le souffle coupé et le cou strié de rouge. Elle s'était effondrée, le regard exorbité, terrifiée. Alors qu'elle peinait à respirer, Dag s'était enfui en courant.

Plus tard, un locataire avait trouvé Katrin gisant sur le plancher froid du couloir sombre et avait appelé l'ambulance. Elle n'avait jamais dénoncé son agresseur, mais elle s'était juré de ne plus jamais s'abandonner à l'amour. Elle aimait trop mal. Elle allait finir par en mourir si elle recommençait.

Je m'approche d'elle tout doucement. Son regard est rempli d'effroi et son corps entier est tendu. Je lui caresse la main et, de mes yeux mouillés, lui témoigne ma compassion.

— C'est arrivé il y a combien de temps, Katrin?
— Un peu plus de deux ans… Je n'avais jamais raconté cela à personne, dit-elle, la voix cassée.
— Vous n'avez demandé aucune aide?
— Je suis responsable de ce qui m'est arrivé; je ne mérite aucune aide.
— Katrin, rien n'excuse la violence que Dag vous a infligée.
— J'étais trop dépendante. Je l'ai poussé à bout. Pour lui, il n'y avait plus d'autre manière de me dire de décrocher, de le laisser tranquille. Il a essayé de bien des façons, mais je n'ai rien voulu entendre.
— C'est faux, Katrin! C'est faux! Vous aviez besoin d'aide pour soigner votre dépendance, vous n'aviez pas besoin de coups. On n'a pas le droit de faire ce que Dag vous a fait. Cet homme est dangereux, beaucoup plus que votre dépendance.
— Je ne sais pas…

Son récit me bouleverse. Qu'elle ne soit jamais parvenue à parler de son drame avant encore plus. Mais je suis envahie par une impression d'harmonie en songeant que je viens de l'aider à franchir le mur de la honte pour émerger du silence. Je me promets de faire davantage pour elle.

En même temps, je suis forcée de me questionner sur ma propre dépendance. N'ai-je pas moi aussi, dans ma relation avec André, fermé les yeux sur l'inacceptable? Par soif d'amour, Katrin s'est montrée prête à pardonner la fuite inexpliquée de Dag. Est-ce pour les mêmes raisons que je refuse encore aujourd'hui d'admettre l'infidélité d'André? Je n'ai pas de preuve tangible, mais que me dit mon intuition? Vais-je l'écouter, ou la renier?

Katrin est fatiguée. Elle veut dormir. Je reste auprès d'elle et lui tiens la main jusqu'à ce qu'elle s'endorme. Son visage est mouillé de larmes silencieuses. Je décide de rester chez elle toute la nuit; je dormirai sur le divan. Je veux lui offrir du réconfort, lui signifier qu'elle n'est plus seule, maintenant.

*

Il est temps pour moi de repartir de Bodø, où j'aurai passé presque trois mois au lieu des trois jours anticipés. Un lien d'amitié s'est créé entre Katrin et moi, qui nous sommes découvert en commun bien plus que notre amour des chats, nos drames et notre dépendance affective. J'ai le sentiment que notre amitié lui a permis de faire un pas de plus vers la guérison de son âme. De savoir qu'elle compte pour quelqu'un, c'est déjà une liaison avec le monde.

Aujourd'hui, elle voit un horizon au-delà de sa souffrance, comme je commence à en voir un à la mienne, maintenant que Georg, Anna et Finn m'ont donné chacun à leur manière un élan, leur compassion, leurs mots tendres, leurs gestes de réconfort, leur présence. Même Katrin, aussi tourmentée qu'elle soit, m'a apporté du soutien d'une certaine façon. En m'accordant sa confiance, elle m'a donné une raison d'être. J'ai rencontré sur ma route une bonne dose d'humanité, dans une nature qui me paraissait redoutable. Les Norvégiens sont devenus pour moi l'antithèse de leurs montagnes pointues et de leurs fjords abyssaux.

Finn aurait aimé que je reste plus longtemps; ma compagnie déjouait sa solitude. Mais il est heureux de me voir dans un meilleur état. Il me fait promettre de lui écrire quand je serai revenue au Canada. C'est là une promesse que je n'aurai aucun mal à tenir, car ce vieil homme, par sa sagesse, m'a donné la force de continuer à vivre. Son œil crevé est à l'image d'un morceau de mon cœur maintenant, mais il a un autre œil qui voit bien et qui prend conscience de la beauté du monde. Une partie de mon cœur a survécu à la dévastation et il va aimer la vie comme l'œil de Finn aime le soleil couchant et l'horizon infini de l'Arctique.

Avant de le quitter, j'emmène Finn en pique-nique sur la colline où il m'a conduite le jour de notre rencontre, pour observer le soleil couchant sur la mer. J'ai raté l'instant, la première fois. Maintenant, j'arrive à le goûter. Nous ne parlons presque pas. Tout se passe dans la noble beauté de la nature et dans la saveur délicieuse du riesling et du saumon fumé.

Katrin comprend mon besoin de partir. Elle me promet de prendre soin d'elle. Je lui offre un délicat bracelet d'argent que je porte depuis des années. Je veux qu'il l'entoure. Elle ne souhaite pas raconter son histoire à sa famille par peur d'être jugée et elle n'a pas d'amis norvégiens sinon Marlon, Doris et ses autres chats. Mon bracelet sur son poignet sera un témoin qui lui rappellera que sa solitude n'est qu'illusion, même si je suis loin.

J'espère qu'un jour Katrin sera assez confiante pour s'ouvrir à d'autres personnes et sortir de son isolement. J'espère qu'alors sa ménagerie sera devenue un satellite plutôt que le centre de son univers, qu'elle trouvera la force d'être elle-même et qu'elle sera aimée pour tout ce qu'elle est, une femme blessée, oui, mais sensible et généreuse. J'espère qu'elle trouvera un homme bienveillant dont l'amour sera si fort qu'il pourra chasser les traumatismes du passé.

OSLO

— Georg? C'est Satie. Je suis revenue à Oslo.

Quelques secondes fuient dans le silence, tandis que je regarde l'appareil téléphonique pour échapper à l'étourdissant va-et-vient de la gare.

— Vous pouvez venir me chercher?
— Quelle surprise, Satie! Je… je serai là dans trente minutes.
— Merci, Georg. Je vous attendrai sous la grande horloge.

Je m'assois sur ma valise pour le guetter. Je me demande comment seront nos retrouvailles. J'ai le pressentiment que nous avons encore beaucoup à échanger.

Quand il entre dans la gare d'un pas pressé, son regard s'aventure de tous les côtés avant de me repérer. Je me lève en affichant un sourire et il s'avance vers moi, étonné, comme si des points d'interrogation surgissaient de sa tête. Manifestement, me revoir à Oslo le surprend.

— Vous êtes magnifique, avec un sourire, Satie!

Nous restons là à nous dévisager. Je remarque mieux qu'avant la douceur de ses yeux noisette et la noblesse de sa silhouette, musclée et élancée. Je sens naître en moi ce que je croyais mort et enterré : le désir. L'insoutenable désir d'approcher cet homme corps et âme. Georg me serre contre lui tendrement. J'ai la tête blottie contre son épaule large et rassurante. Il m'enveloppe de ses bras en caressant mes cheveux et j'arrêterais le temps pour rester soudée à lui.

Après cette longue étreinte, il attrape ma valise et prend ma main. J'étais là pour Katrin hier et, aujourd'hui, Georg est là pour moi, comme l'ont été Finn, Anna, Larry et Varg avant. Nous marchons jusqu'à sa voiture, à quelques rues de là. Oslo baigne sous un ciel sans nuages en ce mardi d'été. C'est un soir ensoleillé et la ville a l'allure étrange d'un désert urbain, comme si elle n'appartenait plus qu'à nous.

— C'était comment, le Nord, Satie? Satie… J'adore prononcer ton nom et entendre ta voix!
— D'abord douloureux et solitaire, ensuite solidaire et salutaire.

Georg sourit sans insister pour que je lui raconte. Au bout de ce qui me paraît un labyrinthe de rues, il montre du doigt l'immeuble de verre où il habite au douzième étage, large vue sur le bleu de la baie. Nous montons en échangeant des regards pleins de tendresse et de curiosité, des regards tout près de s'enflammer, les plus beaux qui puissent exister entre un homme et une femme, ces regards émerveillés de la découverte et de la reconnaissance, étincelants, remplis de promesses, prélude au premier baiser.

En refermant derrière nous la porte de l'appartement, Georg attrape mon visage de ses deux mains en me plaquant tendrement contre le mur du hall. Ses lèvres gourmandes papillonnent sur les miennes avant que sa langue chaude dévore ma bouche et avale mon souffle. Je m'abandonne volontiers à ce baiser profond qui me traverse tout entière et me ramène à la fureur de vivre. Je me sens ranimée, ma peau s'embrase, mon cœur s'emballe, la chaleur m'inonde, je vibre, je frémis, je suis ivre et c'est bon, tellement bon!

Nos vêtements volent dans la pièce sans que nos lèvres se dessoudent. La sensation de sa peau brûlante contre la mienne m'électrifie. Georg agrippe mes cuisses et me soulève pour me transporter jusqu'à son lit. Il embrasse chaque parcelle de mon corps comme s'il voulait ramener la vie dans toutes mes cellules. Il n'y a pas de mots; que nos mains et nos lèvres pour exprimer le désir brûlant qui nous consume. Il y aura d'autres moments pour les regards et les paroles; celui-ci appartient à l'ardeur de nos baisers, à l'urgence de nos caresses, à la moiteur de nos sexes qui enfin se trouvent.

J'aime quand Georg entre en moi cette première fois, je voudrais suspendre le temps, jouir de cet instant le reste de ma vie. J'aime la confiance avec laquelle il me prend, sans hésitation, sans peur d'être repoussé. Les timides me glacent dans un lit, ils ont l'air de demander la permission, ils semblent ne jamais percevoir le langage du corps, tous les signes subtils qui marquent l'ouverture et invitent à l'abandon. Les timides avancent à tâtons, attendant qu'on prenne les devants. Même si, parfois, j'aime initier l'amour, je préfère être la proie du désir et être saisie fermement.

J'aime aussi me sentir délicate dans les bras musclés de Georg. J'ai besoin de cette incarnation de la force pour me sentir en sécurité, pour me sentir protégée. Je ne veux plus rencontrer des yeux tristes et des airs fragiles. Je ne veux plus consoler, j'ai besoin de l'être. Je viens seulement de m'en rendre compte, mais tout à coup généreuse, la vie me comble de la présence réconfortante de Georg.

Essoufflés, apaisés, exaucés, nous faisons une pause marquée d'un long soupir de plaisir. Il s'allonge sur le dos et je dépose ma tête au creux de son épaule. C'est ainsi, dans sa chaleur et au rythme des battements de son cœur, que nous trouvons le sommeil.

— Je n'ai pas envie d'aller travailler, Satie, me dit Georg au petit matin. J'aimerais tant rester là, avec toi! Tu m'attendras? Tu veux bien rester quelque temps ici?

— Oui, je veux bien, Georg. J'ai envie d'être avec toi encore.

— Je serai là à la fin de la journée. Je rentrerai aussi tôt que possible pour te retrouver. Fais comme chez toi. Je te laisse une clé, tu pourras aller et venir comme bon te semblera. Je m'occupe du repas ce soir. Tu te reposes et c'est tout. Promis?

— D'accord, promis!

Je dépose un baiser sur ses lèvres avant de le perdre du regard avec la porte qui se referme. Il me reste les draps, imprégnés de lui, de nous. Il me reste son espace qui raconte une partie de son histoire. Je vais l'explorer. Je veux connaître cet homme généreux qui m'éclabousse de lumière. Je ne comprends pas pourquoi nous nous sommes jetés l'un sur l'autre à corps perdu. C'est comme si une force supérieure nous avait réunis. Je ne dois pas avoir le droit, si tôt après la mort d'André, de trouver d'autres bras, mais je suis poussée vers Georg.

Dans son placard, tout est bien rangé. Les pulls en cachemire, les chemises repassées, suspendues avec un espace entre chaque cintre, les pantalons pliés dans leur section. Il éprouverait sans doute un peu d'embarras devant ma garde-robe encombrée et désordonnée, mais, moi, j'aime tout le soin apporté à ses vêtements sobres et élégants.

Dans le salon, au-dessus des causeuses en cuir bleu pétrole, Georg a patiemment construit une mosaïque de photos encadrées aux dimensions variées. Je n'y trouve pas le souvenir d'une femme. Ce sont des paysages aux vastes horizons, des voiliers sur la mer, des vagues qui se cassent sur la proue d'un navire, des champs verdoyants coiffés de ciels zébrés de nuages, des fjords majestueux vus d'en haut.

Sur la table basse du salon, il y a des magazines de voile et d'architecture. Dans la bibliothèque, une série de classiques de la littérature anglaise côtoient des titres en norvégien et plusieurs livres d'art. Photo, peinture, sculpture, Georg s'intéresse à tout. J'aime cette ouverture qui me rappelle celle d'André, à la différence que lui était passionné de tout, mais de rien en particulier. Il y avait chez André un immense désir de connaissances, mais il était un touche-à-tout, tandis que, chez Georg, la voile semble occuper un territoire très vaste, qui surpasse les autres champs d'intérêt.

Sa musique est rangée dans une étagère de verre adossée au mur. De l'opéra et de la musique classique, rien qui ressemble à du rock ou à du jazz. Chopin, Brahms, Mozart, Schumann, Vivaldi. Les disques sont classés par compositeur et en ordre alphabétique ; je n'ai jamais rencontré une discothèque aussi bien rangée.

Un coup d'œil au frigo. Je constate sans surprise qu'il est presque vide. Du lait, du jus, des œufs, du beurre, une laitue fatiguée et quelques morceaux de fromage. J'imagine qu'il ne dîne pas souvent à la maison. Ou alors il a l'inclination norvégienne pour les sachets de nourriture déshydratée.

La vaisselle est toute blanche dans les armoires en merisier clair, posées sur un mur gris acier. J'adore le contraste entre la chaleur du bois et la froideur métallique en arrière-plan.

Le salon est illuminé par des fenêtres tellement étendues qu'on a l'impression de vivre dehors, suspendu entre ciel et mer. Rien ne masque l'horizon de la baie, parsemée de petits et grands bateaux blancs, taches mobiles sur une toile bleu océan.

Je pourrais vivre ici et me sentir très bien. C'est le premier endroit où je me pose qui éveille en moi un désir d'avenir. Pourtant, ce n'est pas possible d'envisager ma vie ici. Elle est là-bas, de l'autre côté de l'Atlantique, ma vie. Mais je n'ai pas envie de la retrouver avec son vide, son trou béant qui pourrait m'aspirer. La fuir m'a été salutaire. Ma douleur m'a suivie comme une dépendante affective. Elle a résisté à tous les kilomètres que j'ai voulu mettre entre elle et moi. Mais elle s'est atténuée avec le temps passé ici, elle s'est assagie, comme si elle avait compris qu'elle fera toujours partie de moi, que jamais je ne pourrai l'abandonner, ne plus la voir, ne plus la ressentir. Du coup, elle a fini par être moins vive, ou alors je me suis habituée à sa présence dans mon cœur.

La douleur, j'ai compris que je pouvais lui survivre, mais j'ai encore peur d'affronter le vide laissé par André à Montréal.

Il est presque dix-huit heures quand Georg rentre à l'appartement, les bras chargés de deux sacs de provisions en tissu qu'il laisse tomber pour venir à moi tout sourire. Il me serre contre lui très fort et longtemps, puis, en caressant mon visage d'une main tandis que l'autre glisse dans mes cheveux, il me regarde droit dans les yeux et me demande comment je vais. Je réponds par un sourire et il m'embrasse goulûment. Mon cœur se serre et bat à tout rompre, les sacs attendront sur le parquet.

Nous voilà encore embrasés, fougueux, gourmands. Nos corps sont lave en fusion, fous, incontrôlables, impétueux. Ils sont la vie dans toute sa splendeur, dans toute sa volupté. Ils dansent à l'horizontale avec la ferveur du désir. Et, après l'amour, regards pénétrants, corps caniculaires; toute la tendresse du monde se déverse dans notre lit. Je ne sais pas comment je pourrai quitter Georg pour rentrer chez moi.

*

J'ai encore du temps devant moi. Qu'est-ce qui me presse de retourner à Montréal? Sans doute y a-t-il plein de femmes et d'enfants dans l'attente de voir leur cause défendue en cour de justice. Je voudrais encore les aider, mais je n'aurais pas la force de le faire maintenant. Et puis, qui est irremplaçable? Quelqu'un est là, à ma place. Il doit mettre toutes ses énergies et toute son expertise au service des personnes agressées. Quelqu'un s'occupe d'elles pendant que je m'occupe de moi, l'endeuillée.

*

Georg m'emmène en voilier pour la fin de semaine. Je n'ai jamais abordé la mer plus de trois heures d'affilée. Vivre avec elle pendant deux jours me paraît l'éternité. J'ai peur de ne pas bien m'accommoder de ses vagues et de son étendue. La mer, on n'en voit ni le fond ni la fin. C'est comme ma peine devant la mort d'André. Mais, s'il y a une personne sur terre avec qui il me semble possible d'affronter l'infini, c'est Georg. Aussi, je trouve le courage de partir avec lui.

Georg veut que je goûte la mer sans avoir à naviguer. Il veut que je respire l'air marin en toute liberté, sans penser à mes gestes. Il m'invite à me poser sur la proue pendant qu'il se fait capitaine. C'est là, dit-il, qu'on savoure le mieux l'espace, le vent, les vagues et le soleil. C'est là qu'on lâche tout ce qui nous obsède pour s'abandonner à la force réparatrice de la nature. C'est là qu'on communie avec la vie, sans songer ni à hier ni à demain, sans penser ni à nos blessures ni à nos peurs. C'est là qu'on est, c'est là qu'on vit. Dans l'instant présent.

J'hésite à m'installer sur la proue, car je serai éloignée de Georg. Il ne pourra pas me rassurer et j'ai peur d'avoir peur. Mais sa conviction semble si profonde que je finis par m'y soumettre. Et me voilà comme une sirène qui avance vers l'horizon bleu. Mon corps tangue au gré des vagues, je suis soûle et sereine à la fois, je suis lumière, je suis vivante. Non, je n'ai plus envie de rejoindre André. De toute manière, il est là, imprégné dans mon cœur. Je vais vivre pour deux, maintenant. Je vais garder d'André, ce qui a été beau, ce que nous avons partagé d'heureux ensemble. C'est peu et beaucoup à la fois. Les doutes et la colère, je les jette à la mer.

Georg m'a invitée à m'installer sur la partie avant de son voilier pour que je ne regarde plus derrière. Il a raison. Mon passé est douleur, cet instant est bonheur. L'avenir est ouvert. André, je t'ai aimé. Mais tu as été une étoile filante. Alors, laisse-moi en aimer un autre, maintenant. Laisse-moi renaître, car je ne veux pas rester dans une zone dévastée, je veux remettre des fleurs dans mon jardin, je veux de l'espoir comme avant ta mort, je veux de l'amour pour honorer ta mémoire.

Oui, laisse-moi aimer encore comme je t'ai aimé, parce que l'amour est la meilleure raison de vivre, parce que, sans amour je serai meurtrie, je serai fanée.

Je reste assise en Indien sur la proue du voilier pendant tout l'après-midi. Quand le soleil commence à descendre, Georg jette l'ancre et vient s'asseoir derrière moi. Il m'enlace et dépose sa tête sur mon épaule, après quelques baisers tendres sur mon cou. Nous restons ainsi soudés un long moment, en silence. Dans la chaleur de nos corps réunis, les mots deviennent inutiles.

Comme il est psychiatre, Georg est peut-être la personne avec qui je pourrais le mieux parler du deuil. Mais tout se passe dans l'action et les gestes. Il sait m'aider sans en avoir l'air, sans prendre sur ses épaules le poids de mes tourments. Il sait m'aider en étant amour; il ne joue jamais le rôle du thérapeute, ce qui fausserait tout entre nous.

Plus tard, nous cuisinons ensemble le repas du soir. J'ai eu l'idée d'un risotto au parmesan et chorizo. Pendant que je remue patiemment le riz arborio, Georg sert le vin blanc et coupe la charcuterie en dés.

— Ça va? Tu supportes la mer? me demande-t-il avec un sourire doux.

— Je l'appréhendais, mais, avec toi, j'arrive à l'apprivoiser.

— Tu as aimé ton après-midi de silence?

— Je crois que j'ai fait la paix, Georg. J'ai jeté mes tourments dans les vagues et la mer les a emportés. En ce moment, je me sens bien.

Ses yeux noisette se parent d'un éclat irrésistible. Aussi ne puis-je retenir un baiser de feu qui menace la texture onctueuse du risotto.

Ce soir-là, Georg et moi faisons véritablement connaissance. Nous nous racontons nos vies comme des livres ouverts, nous voulons tout savoir de l'un et de l'autre. Notre conversation est comme une danse que nous menons tour à tour. Quand un chagrin refait surface, il s'envole aussitôt comme par magie, parce qu'il y a une merveilleuse empathie entre nous, celle qui a le pouvoir de faire s'envoler les peines comme des papillons qui colorent le ciel.

Plus tard, nous nous aimons dans une douceur que je n'ai jamais connue auparavant, en ne nous quittant pas des yeux. C'est d'une profondeur bouleversante, c'est comme si chacun pouvait voir à travers l'autre. Ce que je vois en lui est si beau que j'en verse des larmes de joie. Il y a tellement de chaleur et de bonté, de tendresse et de respect, de lumière et de confiance, de désir et d'espoir, que c'est impossible de recevoir autant sans être émue.

Nous nous endormons enlacés après avoir touché le plaisir.

*

Je reste chez Georg encore trois semaines après notre week-end en mer du Nord. Le jour, je marche dans Oslo et visite tous les coins de la ville à nouveau. Je fais les courses et, après, je cuisine pour mon homme.

J'apprête des plats que je ne connais pas et je réussis presque tout le temps à semer de la joie avec les saveurs. Avant ou après nos repas, chaque jour nous faisons l'amour; c'est devenu une drogue dont j'aurai du mal à me passer outre-mer.

La vie est belle et ample, avec Georg. Elle coule comme une rivière dans une vallée, elle est pleine comme la lune, elle chante comme un piano. Mais j'ai l'impression que notre histoire est impossible, que je ne pourrai pas vivre indéfiniment dans ce pays lointain. Mon travail m'attend, je dois revenir dans mon ancienne réalité. Je serai habitée de merveilleux souvenirs, mais comment perdre Georg et André coup sur coup? Comment vais-je pouvoir résister à cette déchirure, même saturée d'instants de pur bonheur?

Georg non plus n'a pas envie que je parte. Il propose que nous continuions notre histoire à distance, même si c'est pour nous voir deux fois par an. Pourquoi pas? Mais n'allons-nous pas toujours vivre du désir de la prochaine fois sans parvenir à apprécier les jours nombreux où nous serons séparés? Je n'envisageais pas que notre histoire ait des lendemains. C'est la force de vivre qui s'est manifestée quand j'ai revu Georg et que le désir a explosé. Mais ça ne devait être qu'une aventure réparatrice, pas un projet de vie. De toute manière, suis-je capable de faire des projets de vie? Je me sens encore si fragile, la mort d'André est encore toute proche, la peur d'aimer et de perdre est encore si aiguë.

Je suis toujours hésitante au moment de prendre

l'avion. Georg m'accompagne à l'aéroport, la mort dans l'âme. Nous ne voulons pas prolonger les adieux, mais nous ne pouvons faire autrement que de rester ensemble jusqu'au dernier moment. Nos baisers et nos étreintes sont presque désespérés. Nous devons nous faire violence pour nous séparer quand on appelle les passagers à prendre place à bord de l'avion.

Nous nous écrirons, nous nous téléphonerons, nous nous reverrons… Nous reverrons-nous? Qu'est-ce que la vie nous réserve? J'ai l'impression que le sol s'écroule sous mes pieds. Georg m'a redonné le goût de la vie et m'a fait renaître dans l'amour. Alors pourquoi est-ce que je pars?

MONTRÉAL

Mes parents sont heureux de me revoir. Ma mère m'accueille avec une quantité impressionnante de plats congelés; c'est sa manière de me réconforter et de s'assurer que je continue à manger. Elle a eu terriblement peur de me perdre. Papa aussi. Je le sens dans leur visage douloureux. On dirait qu'ils ont vieilli depuis mon départ en Norvège et leurs rides creusent au coin de leurs yeux des sillons profonds qui descendent en delta vers leurs joues un peu blêmes. Je me sens coupable de ne pas leur avoir donné beaucoup de nouvelles pendant mon voyage. Je leur ai écrit deux fois seulement, mais c'était au-dessus de mes forces de faire davantage. J'avais besoin de me couper complètement de ma vie d'avant pour me refaire.

Les collègues m'ont entourée de roses blanches au moment de mon retour au travail. Ils sont gentils. Mais comment puis-je supporter, dès le lendemain, le récit d'une jeune fille de dix-huit ans qui me raconte dix ans d'inceste? Comment puis-je encore côtoyer la violence et la misère du monde? Je voudrais l'aider, cette petite, mais en ai-je encore la force? J'ai envie de vivre, mais j'ai trop souffert et j'ai trop fréquenté la détresse, déjà. Je crois que je suis saturée. Je veux me placer côté soleil. J'écoute la jeune fille avec l'envie de pleurer, alors que je devrais être animée de la volonté de me battre pour elle. Je devrais être la battante qui la délivre de ses violeurs, mais je ressens une trop grande fêlure dans mon être pour jouer ce rôle-là.

Quand elle quitte mon bureau, je me dis que je dois confier ce dossier à quelqu'un d'autre, car je n'y arriverai pas. Sauf que c'est un cas habituel dans le quotidien sordide d'un procureur aux agressions sexuelles. De m'en décharger serait inutile, car je pourrais tomber sur pire encore. La bêtise et la violence des hommes frôlent parfois l'indicible.

*

Georg et moi, nous nous téléphonons souvent avec l'envie de faire durer nos conversations pendant des heures. Il a un peu de mal à se concentrer sur son travail; le désir a tendance à monopoliser son esprit.

C'est pareil pour moi, mais, jour après jour, je m'efforce d'éteindre l'incendie. Je n'ai pas envie de m'accrocher à un rêve impossible. Le temps passé avec Georg m'a enveloppée de joie, de désir et de réconfort. Mais je n'ai jamais vraiment cru à l'amour à distance. Et puis, l'illusion du bonheur, j'y ai goûté avec André. J'ai dû me laisser emporter trop fort par le coup de foudre. Je me suis laissé transporter par la passion avant même de savoir dans quelle famille André avait grandi. Qui était-il, au fond? Je ne l'ai jamais su et ne le saurai jamais. Je suis tombée amoureuse, j'ai vécu quelques semaines d'euphorie, puis la dépression a tout déformé. Pendant des mois, je me suis accrochée à quelques souvenirs très heureux pour endurer la lourdeur de la maladie, je me suis convaincue que la guérison viendrait et qu'elle nous rendrait notre amour intact. Il n'aura été que boiteux, au fond.

Qui était André? Un homme d'honneur ou un fin manipulateur camouflé sous un manteau de victime, capable de tromper son épouse et sa nouvelle amoureuse en l'espace de quelques mois? La maladie n'explique pas tout et je me rends compte que tous mes doutes ne sont pas allés à la mer, malheureusement. On voudrait parfois faire des pas de géant, se réparer comme par magie, en oubliant qu'il faut du temps pour cicatriser nos blessures. Je manque de patience pour ma guérison. Je voudrais avoir tourné la page et être devant le blanc qui permet de tout réinventer.

Qui est Georg? Puis-je lui faire confiance? Si l'éloignement survenait après six mois de vie à deux, je le connaîtrais assez pour répondre à cette question, mais nous n'avons eu que quatre semaines ensemble.

*

— Satie, j'ai l'impression que tu préférerais que je m'éloigne de toi, avance Georg avec dépit un soir où il me sent distante.
— La vérité, c'est que je ne sais plus du tout où j'en suis, Georg. J'ai peur. Je me sens encore brisée et je ne crois pas avoir beaucoup à offrir maintenant.

Silence qui dure quelques secondes. Georg paraît avoir le souffle coupé. Il se racle la gorge et prend une longue inspiration.

— J'aurais aimé qu'il en soit autrement, mais je peux comprendre, Satie. Je n'insisterai pas. Mais… si jamais tu changeais d'idée pour nous deux, si jamais tu avais envie qu'on se revoie, j'aimerais que tu oses le dire. Je ne veux pas me placer dans l'attente. Mais, si je suis toujours libre, je sais que j'aurai encore envie de toi. Et je ne parle pas que du désir charnel, ma belle Satie. C'est toi tout entière, qui m'intéresses. Corps et âme.

— J'aimerais aussi qu'il en soit autrement, Georg, crois-moi, lui dis-je avec des sanglots dans la voix. Mais je suis perdue. Je me sentais bien chez toi, mais, ici, tout me rappelle André. Ça sent la mort, ça sent le vide et je suis affolée. Je suis désolée, Georg… Je croyais avoir jeté à l'eau mes doutes et ma colère, mais ils refont surface et je ne sais pas comment m'en défaire. Je ne veux pas que tu subisses mes hésitations. Je crois que je suis incapable maintenant de prendre le risque d'aimer. Il faut pour cela accepter la possibilité de perdre et je n'en ai pas la force.

— Je vois… Eh bien! fais ce qu'il faut pour te rétablir, Satie. Prends bien soin de toi…

— Je m'y efforcerai.

— Tu permets quand même que nous nous fassions signe de temps à autre?

— Bien sûr, Georg. Prends soin de toi aussi.

Je raccroche, les yeux humides. La douleur est mordante. J'ai peine à croire que je laisse tomber un homme aussi compréhensif et respectueux. Mais je ne peux pas lui demander de me réparer. Je dois trouver la manière d'y arriver toute seule sans m'accrocher à l'amour comme à une bouée. Ce serait tentant, ce serait tellement tentant, tellement rassurant, tellement apaisant! Oui, pendant un temps, comme à Oslo. Mais après, ce serait angoissant, car il y aurait la pression de rayonner, d'être heureuse.

C'est ce qu'a dû ressentir André. Il était malheureux, en deuil de son mariage, et il y avait moi qu'il voulait séduire, qu'il voulait garder. Mais il ne trouvait pas la force chaque jour de me rendre un peu de lumière et son impuissance le rendait encore plus noir. Je ne veux pas de ce cercle vicieux.

*

Contre toute attente, je parviens au bout de quelques semaines à me replonger dans mes dossiers judiciaires. J'arrive à me distancier de la douleur des victimes, je la prends moins sur mes épaules, je joue moins le rôle de psychologue, qui n'est d'ailleurs pas le mien.

Je me concentre sur les pouvoirs qui m'appartiennent, ceux de la justice. Faire condamner les coupables devient mon seul objectif et, quand j'y arrive, j'ai le sentiment de participer à la guérison des blessées. Un peu.

*

Mes amis et ma famille m'envahissent. Tout le monde se sent obligé de me prendre en charge, comme si je n'allais pas m'en sortir seule, comme s'ils pouvaient devenir des paravents devant la tempête.

— Allez viens, Satie, on fait un dîner à la maison avec des amis, ce samedi, me dit maman. Ça te changera les idées. Ils reviennent d'un voyage en Chine, ils auront plein de photos, de souvenirs, de choses merveilleuses à raconter.

— Je n'ai pas envie, maman. Je préfère rester seule.

— Mais, Satie, il faut sortir de ton chagrin! Te replier sur toi-même n'arrangera rien.

— Qu'est-ce que tu en sais?

— Oh! Ma fille! À mon âge, on a déjà vécu bien des deuils!

— Rien qui ressemble à celui-là, maman.

— Mais enfin, ma chérie, je comprends ta peine, sauf qu'André, tu n'as pas passé douze ans avec lui. Au fond, il n'a été qu'une passade dans ta vie…

— Bon, maman, ça suffit. Tu n'y comprends rien. Il y a trop longtemps que tu as été amoureuse, il me semble. Laisse-moi tranquille, maintenant, et dis bonjour à tes invités de ma part.

Toutes ces bonnes intentions gâchées par la maladresse et l'incompréhension! Pourquoi les gens qui me connaissent le mieux deviennent-ils les plus incompétents pour me consoler? Pourquoi ne comprennent-ils pas mon envie de solitude? On dirait qu'ils veulent me contraindre à les voir pour ne pas être confrontés au sentiment de culpabilité qui vient avec leur inutilité.

Un autre jour, c'est mon amie Marie qui arrive avec un seau et des produits nettoyants pour m'offrir son aide et assainir mon espace un peu négligé. C'est un samedi matin. Je n'ai pas envie de la voir et encore moins de jouer les ménagères avec elle.

— Satie, va faire une promenade alors, et laisse-moi faire!

— Marie, il est hors de question que tu mettes le nez dans mes affaires.

— Qu'est-ce que je pourrais bien y trouver que je ne sais pas? me lance-t-elle avec le sourire.

Ma meilleure amie. Elle croit que je lui confie tout. Pourtant, elle ne sait rien de Georg. J'ai le sentiment qu'elle ne comprendrait pas. Ni pourquoi je suis tombée dans le désir ni comment j'ai fui l'amour. Marie semble croire que j'ai besoin d'elle pour aller mieux. C'est triste à dire, car je l'aime beaucoup, mais je me sens étouffée par son insistance pour m'aider.

J'ai l'impression que, entourée à ce point, je m'étourdis. Je m'éloigne de mon chagrin et c'est inutile, car, un jour ou l'autre, je devrai lui faire face sans reculer. Le ressentir puissamment pour pouvoir l'intégrer dans ma vie. Il me changera à jamais, je serai marquée par une blessure immense, mais j'apprendrai seule à la cicatriser.

C'est difficile d'affirmer mon besoin de retranchement sans froisser mes proches qui sont inquiets et qui se sentent impuissants. Ils voudraient pouvoir chasser le fantôme d'André à ma place. Car, bien sûr, il est là. Je le touche presque dans mes draps. Il s'invite dans mes rêves et, au petit matin, je le cherche partout dans l'appartement.

Je revois André qui sort du lit, son beau corps nu qui se dresse et sa main qui revient vers moi, le temps de caresser ma joue et de me dire bonjour avant d'aller se doucher. J'adore cet instant. J'ai toujours aimé regarder son dos et ses fesses musclées. Après, je revois André siroter son café en lisant les journaux. Parfois, je lui parle. Je parle dans le vide, je parle comme au temps des jours à deux, comme si les esprits pouvaient entendre. Et, de temps en temps, je pense que je suis folle. Je me fâche contre son silence, je cherche désespérément un signe de sa part.

C'est de ça que ma famille voudrait me délivrer. Mais je suis intimement convaincue que j'ai raison de parler au fantôme en ce moment.

Sentir exister l'amour et le dévouement de mes proches me suffit. Je ne veux pas qu'ils viennent tuer mon fantôme par leur présence continue. Peut-être que j'ai besoin d'apprivoiser André sous une autre forme.

*

Un soir, Jean-Marc, un collègue, m'invite à prendre un verre après le travail. À la faveur de l'alcool, il devient moins timide. C'est un bagarreur sans gêne à la cour, mais, avec les femmes, il est habituellement réservé.

Il vit seul depuis cinq ans. Son amour d'adolescence l'a quitté pour un autre et j'entrevois dans son visage mélancolique la gravité de sa blessure. Peut-être se reconnaît-il dans ma tristesse. Peut-être est-ce la raison pour laquelle il ose demander la permission de m'embrasser.

J'ai un mouvement de recul. Le désir poli d'un homme devrait être reçu comme un compliment, mais, ce soir, il a pour moi la saveur du dégoût. Je suis médusée devant ses avances et tellement inconfortable que j'affirme mon refus en quittant la table. Je rentre chez moi fâchée. Je ne veux pas être embrassée, ni par lui ni par personne, à ce moment-ci.

Je me mets à pleurer sans pouvoir m'arrêter. Je ne comprends pas comment Jean-Marc a pu ne pas saisir l'absence totale de désir chez moi. Je suis froide comme une banquise. Qui peut avoir envie du pôle Nord sur ses lèvres?

Je déraille. Jean-Marc n'a rien fait de mal. Les tempêtes intérieures ne sont pas forcément visibles. On apprend vite à les soustraire au regard des autres pour ne pas avoir à en témoigner, par politesse, par convention. Nous sommes tous des comédiens.

Ma colère contre Jean-Marc se dissout dans l'abondance de mes larmes. Les plumes de mon oreiller se noient. J'ai du mal à respirer, je m'étouffe dans mes sécrétions. Je pleure plus encore que le jour de l'enterrement quand j'étais recroquevillée sur la terre qui couvrait le cercueil d'André. Mon collègue n'y est pour rien. Je verse tout ce qui s'était accumulé derrière un barrage dont je ne soupçonnais pas l'existence, mais qui devait être la raison de ma survie.

*

André n'a jamais vécu chez moi au quotidien, mais je devrai pourtant déménager pour ne plus le croiser ici tous les jours. Au début, je voulais que personne ne me sépare de son fantôme; aujourd'hui, je pense que je ne pourrai revivre tant qu'il occupera mon espace.

Autant je l'ai cherché et ai voulu le retenir quand je suis revenue chez moi, autant, maintenant, je suffoque à l'idée qu'il m'épie dans tous mes gestes. J'ai envie de sexe, parfois; je coucherais avec un inconnu pour sentir mon corps vivant, mais le fantasme est bloqué dès qu'André se pointe dans mon imaginaire comme un prêtre impitoyable qui me dissuaderait de commettre l'infidélité.

Je ne peux pas être fidèle à la mort. Mon engagement doit se tourner vers la vie.

Je dois cesser d'idéaliser André. Son fantôme, c'est comme le chant des sirènes. C'est l'apparence du bonheur qui dissimule le danger. J'ai aimé un rêve, mais la réalité est plus proche du cauchemar. Au-delà du désir, qu'y a-t-il eu entre nous? L'espoir, oui, mais il a été aussi fort que ma peur. Ma peur de voir s'effacer le rêve. J'ai vécu avec André plus de tristesse que de jours heureux. C'est la faute de la dépression, mais est-ce que la maladie explique l'infidélité? J'émerge du déni. Ce qui n'était pour moi qu'un doute lancinant m'apparaît de plus en plus comme une évidence. N'étais-je que l'objet du désir, un faux amour? L'amour, le vrai, l'aurait-il conduit à la démission?

*

Il n'a pas été difficile de vendre un condo rénové sur le Plateau-Mont-Royal. Il m'a suffi d'une semaine pour trouver un acheteur et j'ai déménagé trois mois plus tard dans un appartement dix rues plus loin vers l'est.

Je perds en confort et c'est moins joli que le condo, mais, tout ce que je voulais, c'était repartir à neuf, ranger les souvenirs dans ma mémoire et ne plus vivre avec eux chaque jour.

J'ai embauché un peintre pour couvrir tous les murs en blanc. C'est ainsi que j'aimerais me sentir, comme un espace libre et lumineux où tout est à réinventer.

Je jette et donne beaucoup de babioles et de meubles; ma nouvelle vie sera désencombrée. Je ne sais pas s'il faut reconstruire son habitat pour se reconstruire soi-même, je ne sais pas si c'est une fuite, un détournement, mais, quand j'achète de nouveaux draps blancs, des rideaux perlés et des branches de bouleau blanc dans un vase rouge, j'ai l'impression de prendre soin de moi. Je pense moins au vide dans ma vie et je respire mieux.

Je continue de passer beaucoup de temps seule, ce que je n'avais jamais réussi à faire par choix auparavant. J'attends même avec impatience le vendredi soir, cet instant où je retrouve ma vie solitaire. Il y a encore des larmes dans mes soirées, mais leur intensité s'atténue. Les cauchemars délaissent mes nuits et, quand ils se pointent malgré tout, je me blottis dans les doux souvenirs de Georg pour m'apaiser, car il y a eu avec lui le début d'une renaissance. J'hésite pourtant à le rappeler. Et lui, il ne me téléphone jamais.

J'écris de plus en plus. Tout ce que je ressens, ce que je vois, ce qui me dérange, une sorte de croisement entre le journal intime et la poésie. Une poésie coup-de-poing qui ne ressemble pas à mon image plutôt empreinte de douceur. Si je la faisais lire à mes proches, ils auraient l'impression que ce sont les mots d'une autre. Je suis moi-même saisie par la puissance de mes vers. Mais je suis réconfortée par l'idée de transcender la douleur du deuil grâce à la création, de faire jaillir des mots qui touchent ou qui heurtent.

Les fins de semaine, je vais dans les musées. Je fréquente les peintres parce que les grands espaces de l'imaginaire me réconfortent, parce que les couleurs m'insufflent la force de vivre encore.

Un matin, je vais voir l'exposition d'un sculpteur et d'une peintre de New York. Pour accompagner leurs œuvres, qui racontent leur vie à deux, ils ont écrit des poèmes. C'est magnifique d'amour et d'impudeur. On découvre les mots tendres du quotidien, certains griffonnés sur des bouts de papier, d'autres écrits minutieusement à l'encre de Chine sur de la soie. Il y a aussi des esquisses et des photos prises pendant la création.

Les sculptures et les dessins évoquent l'ardeur du désir. Des pénis en érection surdimensionnés, des seins bien ronds, insolents, des lèvres pulpeuses. On sent presque la chair dans la glaise. Les toiles, elles, évoquent un univers plus intérieur, mais tout aussi intense, dans lequel les regards révèlent plus que les corps, plutôt statiques.

Les photographies dévoilent tous les scénarios que les amoureux se jouaient pour le plaisir de l'art. Le regard de l'artiste sur sa muse est celui que toute femme voudrait avoir sur elle : puissant, bienveillant, aimant, magnifiant. Qu'elle pose nue et offerte, allongée sur une nappe fleurie, ou décoiffée, l'allure sensuelle et délinquante, on sent une admiration sans cesse renouvelée du photographe devant son sujet si expressif.

Je suis transportée par tout ce que je vois et ressens dans cette exposition. Ce couple a fait de son amour une immense œuvre d'art. Mis ensemble, les courts poèmes, ces clins d'œil lancés du bout d'une mine de crayon, ces photographies lumineuses, ces sculptures éblouissantes, ces toiles stylées parfois mystérieuses, tout cela devient l'art d'aimer.

Je refais deux fois le parcours de l'exposition avec l'envie de remercier les artistes de leur exhibitionnisme parce que je n'ai jamais rien vu d'aussi inspirant sur l'amour. Ce qu'ils communiquent au public, c'est la foi dont chacun a besoin pour avancer. La foi en l'homme et la femme, la foi en la vie, envers et contre tout. C'est le désir d'aimer, le désir de l'autre. C'est la beauté et la profondeur de l'échange. C'est la liberté d'être soi, c'est l'épanouissement. C'est la preuve que l'amour qui dure est possible, même quand il s'abat comme la foudre sur deux êtres qui n'ont pas encore la connaissance l'un de l'autre.

André a été l'illusion de l'amour. Georg en est peut-être l'incarnation.

*

Un soir de janvier, alors que je suis assise devant la télé, ennuyée par le caractère abrutissant d'une téléréalité et de son animateur narcissique et faussement humble, mes pensées désertent le moment présent pour rejoindre les doux souvenirs de Georg. Il me manque. Son univers, sa sérénité, sa liberté, son corps, ses mains, sa bouche me manquent. Après tous ces mois de deuil dans la solitude, je sens s'ouvrir à nouveau l'espace du désir. Je dois avoir assez pleuré. Je décide d'écrire à Georg. Un courriel, pour lui dire que la lumière refait doucement son chemin et que j'aimerais avoir de ses nouvelles.

Le lendemain matin, j'ai un petit mot de lui dans ma boîte. Il sera à Montréal le mois prochain pour un congrès de psychiatrie; l'occasion de se revoir. Le ton semble neutre, je n'arrive pas à déceler si Georg se réjouit à l'idée de ces retrouvailles. Il faudra patienter dans le doute, car il ne manifeste aucune ouverture à une conversation téléphonique entre-temps.

*

Georg a les yeux rivés sur *The Gazette* quand je le retrouve dans un resto-bar du centre-ville un mois plus tard. Je suis fébrile, heureuse et inquiète à la fois. J'aimerais qu'il y ait entre nous les mêmes étincelles qu'à la gare de train d'Oslo, j'aimerais la même intensité dans nos regards, j'aimerais m'abandonner à lui dans une longue étreinte. Et en même temps, je crains le sens unique; peut-être que Georg est passé à autre chose dans sa vie. Je me suis faite belle; j'ai choisi une robe noire moulante et enfilé des bottes de cuir à talons hauts; je sais qu'il adore regarder mes jambes. Georg ne me voit pas marcher vers lui, trop concentré sur sa lecture. Il est aussi beau que dans mes souvenirs. Mon attention se porte sur ses mains, de vrais doigts de pianiste, longs et fins. Quand je me penche vers lui tout doucement pour déposer un baiser sur sa tempe chaude, il sursaute avant de rencontrer mon regard. Je me laisse envelopper par la sensualité de ce bref instant.

— Satie! Tu es ravissante!
— Et toi, toujours aussi élégant.
— J'avais tout de même une conférence à donner cet après-midi. J'ai dû faire quelques efforts côté vestimentaire!
— Comment ça s'est passé, cette conférence?
— Très bien.

Georg me sourit après ces phrases banales qui marquent ma nervosité. Je perçois dans ses yeux une réserve, même une crainte. Je lui ai fait mal quand je l'ai laissé tomber, à l'évidence.

145

Le serveur nous apporte un verre de vin pendant que la conversation continue sous un nuage d'inconfort.

— Alors, Satie, que deviens-tu? Comment te sens-tu, maintenant?

— Je suis heureuse de te revoir. Quant à ce que je deviens, j'ai repris mon travail. J'ai déménagé dans des murs blancs et il fait beaucoup moins sombre dans mon cœur. Et toi, où en es-tu?

— J'ai été nommé chef du département de psychiatrie à l'hôpital et je m'applique à faire avancer le programme d'intervention auprès des personnes suicidaires. On est déjà à l'avant-garde; c'est pour cela qu'on m'a invité à donner une conférence. Mais je crois qu'on peut faire mieux encore.

— J'admire ton dévouement et je suis convaincue de l'utilité de ta démarche…

Après un moment de silence, je trouve l'audace de la grande question.

— Côté cœur, tu as rencontré quelqu'un, depuis l'été dernier?

— Oui et non… Enfin, je vois quelqu'un… Une femme que je connaissais déjà.

— Tu es amoureux?

— Je ne sais pas.

Je lui demande, interloquée:

— Tu ne sais pas? Et elle, elle t'aime?

— Je crois que oui.

J'ai envie de partir parce que j'ai peine à retenir mes larmes. Au contact de mes lèvres sur la tempe de Georg, j'ai ressenti la même vague d'amour qu'à Oslo et, là, de le savoir avec une autre m'est insupportable. Ma déception est totale, même si j'avais envisagé cette possibilité.

Mais pourquoi, alors, Georg avait-il accepté de me rencontrer en venant à Montréal? Par compassion pour mon deuil? Pour vérifier s'il restait quelque chose entre nous?

Après la dernière gorgée de vin, je déploie l'excuse facile de la fatigue pour prendre congé de Georg et rentrer chez moi. Il m'embrasse sur les deux joues, me dit qu'il a été heureux de me revoir et espère que tout ira bien pour moi. Lorsqu'il m'aide à remettre mon manteau, sa main glisse sur mon épaule et je sens un frisson parcourir mon échine. Je voudrais être insensible à son toucher, mais qu'y puis-je?

De retour chez moi, je n'ai absolument pas le goût de manger. Je m'endors après avoir épuisé mes larmes.

Le lendemain matin, je retourne au travail et reçois une victime d'agression. Elle me raconte longuement son drame, qui lui a coûté sa vie de couple.

Parfois, je voudrais être une super héroïne. Je m'appellerais Super Amour, comme dans mes jeux d'enfant, et je réparerais les cœurs brisés, je raviverais les amours évanouies, je recollerais les amoureux séparés, je sèmerais du bonheur au lieu de poser des pansements sur la vie des gens avec la loi. C'est peut-être parce qu'il a senti cette volonté de puissance, ma propension à jouer au sauveur, qu'André a jeté son dévolu sur moi quand son mariage se brisait dans les querelles.

Enfin, il faut bien accepter ce qu'on n'est pas et, aujourd'hui, je n'ai pas la tête à consoler une victime; je peine à contenir ma propre désolation.

Je fais mon boulot comme un automate, sans pouvoir offrir la moitié de mon habituelle empathie, et je sens s'abattre sur moi une vague de culpabilité quand la dame sort de mon bureau après m'avoir raconté le drame de sa vie. Je sais trop bien que tout ce qui ressemble à de l'indifférence a l'effet d'une gifle pour celui qui souffre.

Je m'en veux d'avoir ravivé mon amour et mes souvenirs. Si je n'avais pas revu Georg, je ne ressentirais pas à nouveau sa perte, l'impossibilité de nous unir. Il semble d'ailleurs que je n'attire à moi que l'impossible. André, Georg: amours mort-nées. Comme si j'étais l'exact contraire du sculpteur et de la peintre, comme si j'étais une meurtrière d'embryons d'amour. Une avorteuse de couples en devenir.

J'ai du mal à lutter contre ce qui me paraît être la fatalité. J'ai beau avoir décidé de déposer la croix du deuil, affronter les contrariétés de la vie m'apparaît aujourd'hui comme un nouveau fardeau. Peut-être que je serai toujours fragile devant la perspective de la perte d'un amour. C'est sans doute ce que je dois accepter désormais. Mais comment éviter d'être dévorée par cette angoisse paralysante? Fatiguée, je m'endors sur ces pensées mouillées de larmes.

Au réveil, je me ressaisis. J'enfile un chemisier bleu roi. Il faut me redonner un peu d'éclat pour faire oublier mon marasme. Je songe à maîtriser mes émotions pour redevenir fonctionnelle.

Et s'il s'agissait plutôt d'être courageuse? D'aller au bout de mes désirs? En Norvège, une femme est amoureuse du même homme que moi, soit. Mais la réciprocité ne semble pas au rendez-vous. Le champ des possibles n'a donc pas été fauché. Aussi, si je ne téléphone pas à Georg maintenant, je le regretterai tout le reste de ma vie. Je n'ai pas choisi de continuer à vivre pour cultiver un jardin de regrets.

— Bonjour, Satie. Que puis-je pour toi?
— Georg, il faut que je te revoie.
— Pourquoi veux-tu me revoir?
— S'il te plaît, Georg! Je t'en prie, laisse-moi te le dire en tête-à-tête… Tu peux passer chez moi ce soir à dix-neuf heures? Voici mon adresse…

*

Quand j'ouvre la porte, Georg, le cou enveloppé d'une écharpe en cachemire d'un violet chatoyant, me fixe avec un mélange de douleur et de désir au fond du regard. Et je crois que je ressens exactement les mêmes émotions.

— Georg… je t'aime. Je t'aime et je voudrais qu'on

soit ensemble. Mais, je t'en prie, ne reviens pas si c'est pour repartir aussitôt vers les bras de l'autre…

— C'est toi que je veux, Satie. C'est toi, rien que toi.

— Vraiment?

Et nous voilà cœurs battants dans un baiser à ensoleiller la nuit. Georg franchit le seuil, referme la porte d'un léger coup de pied, m'enveloppe de ses bras, et dépose des baisers partout sur mon cou et mes cheveux. Puis, il me soulève tandis que j'enroule mes jambes autour de sa taille. Il avance d'un pas pressé vers mon lit, comme s'il savait exactement quel chemin prendre.

Allongés, nos corps indomptables et affamés s'agitent pour se toucher et se déshabiller en vitesse, entre des douzaines de baisers incendiaires.

— Je pensais que…

— Tu pensais que je ne t'aimais plus? J'ai essayé de ne plus t'aimer, j'ai essayé d'être ailleurs pour t'oublier, mais je n'ai pas pu t'éviter et te revoir m'a placé devant une évidence : tu me manques.

— J'ai pleuré toute la nuit…

— Je te ferai jouir cette nuit… Je te ferai jouir toutes les nuits…

*

Me réveiller un matin blanc dans les bras chauds de Georg, c'est doux comme un printemps. Je contemple son sommeil avec l'envie de le retenir dans mes draps à jamais.

Quand, plus tard, il ouvre les yeux, il sourit en se découvrant amoureusement épié et il ramène mon corps plus près du sien. Le nez enfoui dans les cheveux qui tombent sur ma nuque, il me respire profondément. J'adore sa manière de me sentir, comme s'il y trouvait à la fois l'excitation et l'apaisement. Humer les parfums naturels que mon corps exhale, c'est accueillir ma part la plus intime. Je ne me suis jamais sentie aimée ainsi. C'est comme si Georg touchait mon âme à travers les odeurs de ma chair et j'ai envie de les lui offrir comme un bouquet. Quand il se pâme pour mon essence, c'est une déclaration d'amour qui surpasse les mots et, alors, je me sens séduisante, sublime, envoûtante, pour lui, rien que pour lui, et ça me suffit. Car au fond de moi, je sais que cet amour est aussi subtil qu'immense.

*

Délinquance. Je me déclare encore malade au lendemain de cette nuit de plaisir. Georg doit passer l'après-midi à son congrès, mais je ne manquerais pour rien au monde les trop brefs moments que nous pouvons encore passer ensemble en matinée.

— Satie, ma belle Satie, pourquoi Oslo et Montréal sont-elles si loin, dis-moi?

— J'imagine qu'il ne tient qu'à nous d'abattre les frontières!

— Tu as raison, sans doute. Mais, malgré nos beaux diplômes d'avocate et de médecin, nous sommes confinés à un espace géographique.

— En effet, ce serait plus simple si nous étions décorateurs ou serveurs.

— Vendeurs ou éboueurs!

— Georg, je ne sais pas si j'ai absolument envie de rester à Montréal…

— Tu abandonnerais ton travail de procureure?

— J'y pense souvent. Je ne supporte plus très bien de voir autant de misère et de violence. Je trouve que la justice est bien carrée. Nécessaire, utile, oui, mais elle laisse de côté bien des injustices que la loi ne reconnaît pas et elle offre des solutions souvent décevantes, parfois ridicules.

— Tu te sens impuissante?

— À moitié.

Georg m'embrasse et ses mains généreuses caressent ma peau délicatement.

Après l'amour, il faut me résigner à le laisser partir à son congrès. Quand je le vois s'engouffrer dans le taxi, je pense que je n'ai plus envie d'être loin de lui. Il ne part que pour quelques heures, mais elles me paraissent trop longues. Je les occupe à lui préparer un repas, comme au temps où je vivais dans son appartement à Oslo.

Je songe à tout ce qui peut nourrir notre plaisir pour garnir les assiettes, ravir nos regards et caresser notre ouïe. Cidre de glace, foie gras, confit d'oignons. Fraises, fondants au chocolat noir, Jane Birkin, Serge Gainsbourg et *La décadanse*. Bougies, corsage cache-cœur, bas de soie. À la tombée du jour, je serai une fête. En rouge. Je délaisse la noirceur du deuil et m'enveloppe de la couleur du désir.

Je ne suis pas subtile; je suis vive comme un tableau de Corno. Mais c'est tout moi qui émerge, cette sensualité exacerbée, ce désir écrit en majuscules dans mon regard et sur mes lèvres. C'est tout moi quand je suis vivante. On aime ou on déteste, je ne suis pas faite en demi-teintes, je vis dans l'intensité mes peines comme mes joies. Je suis un volcan qui bouillonne dans ses profondeurs, qui se consume dans ses débordements et qui, dans ses accalmies, caresse le ciel.

Longtemps, j'ai pensé qu'il me fallait assagir mon impétuosité, si dérangeante pour ceux qui ont des humeurs linéaires. Mais, plus j'avance, plus j'assume ma nature. Georg me dit que c'est exactement ce qui le séduit chez moi, ma résistance au conformisme, au beige qui couvre tant de vies pourtant aptes à la couleur. C'est étrange qu'il me dise cela alors qu'il m'a connue dans la fadeur de la déprime; c'est comme s'il avait su voir derrière le rideau de mon chagrin.

Quand il revient de sa journée de congrès, il pose sur moi des yeux ardents. L'envie de nous aimer sur-le-champ nous consume, mais nous savons dompter notre fougue pour jouir du plaisir de l'attente, se savourer du regard, déguster les délices de la cuisine, laisser le vin nous monter à la tête, danser, se chuchoter des mots doux, écouter le souffle de l'autre et deviner le degré de son désir. Ce sont des moments parfaits et j'éprouve une immense gratitude envers la vie. Si elle peut tout nous enlever, elle peut aussi tout nous offrir.

J'aime être avec Georg chaque seconde. C'est comme si avec lui le passé devenait futilité. Nous avons vécu, nous avons aimé, nous avons perdu. Alors qu'il m'est arrivé dans d'autres relations de perdre un temps précieux à ressasser les vieilles histoires, avec Georg il y a le présent, les instants de plaisir de l'ici et maintenant, si beaux qu'ils permettent d'envisager l'avenir. Il y a Satie et Georg; les ombres du passé ne font pas interférence. Il m'a présenté les siennes dans leurs contours et j'ai fait pareil avec les miennes. Inutile de se perdre dans le détail de ce qui n'est plus.

En dansant, Georg me dit qu'il aurait aimé me connaître plus tôt parce qu'il aurait pu m'aimer plus longtemps. Mais, aussitôt, il se ravise. Il comprend trop bien que j'aurais été différente. Il ne me veut pas autre, il me veut telle que je suis aujourd'hui, avec l'empreinte de mes blessures, mais avec ma force de vivre.

— Ne cache pas tes cicatrices, Satie, me dit-il en replaçant délicatement une mèche de cheveux rebelle derrière mon oreille. C'est par les failles qu'entre la lumière. Ne l'oublie pas.

Cette petite phrase, si généreuse de confiance, me chavire. Georg n'a jamais cherché à me faire étaler ma peine, mais il n'attend pas non plus que je prétende n'avoir pas été abîmée.

— J'ai envie de te protéger, Satie. Je veux prendre soin de toi…

Mes yeux s'embuent. Jamais aucun homme ne m'a exprimé ce désir-là, à moi, la bagarreuse du tribunal, celle qui a toujours eu l'air forte pour deux. Bien sûr, il y a la mort d'André qui m'a rendue plus vulnérable, mais, même avant, il ne fallait pourtant pas gratter le vernis bien longtemps pour découvrir ma sensibilité et mes fragilités. N'empêche, c'était une part de moi longtemps ignorée des autres.

Chez Georg, j'entrevois un grand besoin de douceur que j'ai envie de combler. La vie lui en a peu offert jusqu'ici, me semble-t-il. Son père était un homme rigide et autoritaire, sa mère traînait ses frustrations en grommelant, tandis que son épouse, à laquelle il a été marié pendant quinze ans, avait l'humeur en vagues. Sa femme, il avait été séduit par son côté flamboyant et son humour, mais il avait eu du mal à vivre avec les variations marquées de son tempérament, entre exaltation et dépression. En moi, il dit avoir trouvé la rare coexistence de la douceur et de l'intensité. Nous sommes faits de la même matière et c'est sans doute ces deux traits en particulier qui nourrissent notre complicité.

*

— J'aime bien être chez toi. J'aime la blancheur dont tu t'es entourée, me dit Georg au petit matin.

— Georg, pourquoi sommes-nous tellement attirés l'un vers l'autre?

— Cette question dépasse mes compétences de psychiatre! La chimie de l'amour, c'est une formule que les scientifiques n'ont pas découverte encore... Satie, tu crois que tu pourrais un jour vivre en Norvège?

— Peut-être, je ne sais pas encore. C'est moins le pays que le déracinement qui rendrait cela difficile. Être séparée de mes amis, de ma famille, de ma culture… Mais, en même temps, le monde n'est plus aussi grand qu'en 1950. Les avions et les télécommunications l'ont fait rétrécir.

Dans des gestes suaves qui nous conduisent lentement vers le nirvana, nos corps s'unissent, baignés des rayons du soleil d'hiver qui percent la transparence des rideaux de voile accrochés aux fenêtres.

C'est déjà décidé, j'irai passer mes vacances d'été en Norvège. Georg veut me montrer les vertigineuses falaises surplombant les eaux du Lysefjord dans la région de Stavanger. Je ne crois pas que j'aurai la hardiesse d'aller embrasser mon amoureux sur le rocher sphérique suspendu dans le vide entre deux parois, mais l'idée de fouler le sommet des murailles de Preikestolen me fait rêver. J'avais envisagé d'y aller pendant mon premier voyage en Norvège, mais l'endroit était trop décentré par rapport au reste de mon itinéraire.

Le lendemain, c'est samedi, notre dernière journée ensemble, et j'emmène Georg marcher du Plateau jusqu'au sommet du mont Royal. Voir une ville d'en haut, c'est toujours une source d'émerveillement, une manière de comprendre où l'on se trouve et à quelle géante on se mesure.

— Quand je me suis établie à Montréal il y a douze ans pour fréquenter la fac de droit, je venais à ce belvédère toutes les semaines. C'était ma manière de ne pas me sentir écrasée par l'immensité de la métropole.

Cette ville est petite comparée à New York, mais, quand on arrive d'un village de la Mauricie, c'est un choc.

— Pourquoi as-tu choisi Montréal?

— J'aurais pu aller à Québec, c'est vrai, mais j'étais attirée par la diversité de Montréal. L'université, c'était comme le siège des Nations unies; il y avait des gens de partout, ce qui me fascinait. Dans le quartier où j'habitais, c'était comme un pays étranger, j'étais une minorité visible dans mon pays.

— Et tu t'es fait des amis d'ailleurs?

— Quelques-uns. Mais il n'est pas toujours facile de tisser des liens interculturels. Je me souviens d'un copain libanais musulman qui m'avait dit ne plus pouvoir rester en contact avec moi quand il a su que j'avais un colocataire masculin. Je n'étais pas fréquentable, je vivais en quelque sorte dans le péché, même si ce n'était qu'un colocataire!

— Restrictif…

— Et puis j'ai eu un ami juif américain qui s'amusait avec des filles catholiques ou protestantes avant d'être obligé d'épouser une Juive! Il ne fallait surtout pas en devenir amoureuse! C'était moins compliqué avec mon voisin de palier, un Français de qui je suis devenue très proche, mais qui est reparti à Paris et avec qui je n'ai plus tellement de contacts, maintenant. Montréal est une ville où les amitiés semblent toujours en mouvance, les gens arrivent de partout et plusieurs repartent ailleurs. Enfin, dans le milieu universitaire, c'est plus marqué.

— On bouge beaucoup moins à Oslo. Tu crois que tu t'y ennuierais?

— Je ne pense pas. Je n'ai pas les mêmes envies qu'à vingt ans.

— Tu sais, ce n'est pas si facile de se faire des amis dans un milieu plus fermé.

— Sans doute, mais, pendant mon voyage en Norvège, pourtant, j'ai senti que les gens étaient très accueillants.

— Je crois qu'ils le sont davantage avec les gens de passage qu'avec les étrangers qui s'installent dans leur monde. J'ai l'impression qu'il faut une certaine détermination et une bonne dose de patience pour parvenir à s'intégrer chez nous.

Je lui demande en riant :

— Tu veux me décourager ?

— Non, surtout pas ! Mais, si jamais tu faisais le saut, je veux que tu saches où tu atterris. Cela dit, si tu y viens, tu ne seras évidemment pas seule. Je serai là et je suis certain que mes amis vont t'adorer. J'ai hâte de te les présenter.

*

Après les jours heureux de nos retrouvailles à Montréal, Georg ne veut pas que je vienne le reconduire à l'aéroport. Il ne veut pas que nous revivions la scène déchirante des adieux au milieu du va-et-vient, comme à Oslo.

— Je préfère ma dernière image de toi dans ton univers, dans notre intimité, me dit-il doucement.

Georg emporte donc dans ses souvenirs une vision de moi dans une nuisette de satin crème, les cheveux défaits, et un petit air mutin qu'il n'avait encore jamais vu, réapparu avec le désir d'aimer encore. Je l'ai laissé partir comme s'il allait revenir le lendemain et j'ai eu droit à un sourire magnifique de confiance et d'espoir, réchauffé par le soleil oblique des après-midi de fin d'hiver.

Nous nous sommes mis à l'abri des déchirements, sans forcer, même si les vacances ne sont que dans quatre mois.

N'empêche que les instants suivant son départ ont quelque chose d'inquiétant et, malgré son sourire plein d'espoir, je dois me battre contre l'angoisse, la crainte de ne plus jamais le revoir. Je respire profondément, ferme les yeux et ramène à moi tous les instants, tous les mots, tous les gestes qui me lient à lui.

*

Tous les deux ou trois jours, Georg et moi trouvons un moment pour nous voir malgré l'océan qui nous sépare. Quand j'étais petite, je me laissais emporter par le rêve de voir apparaître sur un écran les personnes à qui je parlais au téléphone. Ça me semblait une idée géniale, mais impossible à réaliser. Et puis, voilà, je n'ai même pas eu le temps de devenir vieille avant que cette fantaisie soit devenue une technologie. Skype est le trait d'union entre deux fous qui s'aiment de Montréal à Oslo.

Vivre ces jours et ces semaines sans pouvoir se toucher commande patience et détermination. Se voir et s'entendre, c'est formidable, mais il reste trois sens en carence.

*

Trois semaines après l'envol de Georg, un matin, en rentrant au bureau, j'ai la nausée et je dois filer aux toilettes pour vomir. Ça m'arrive encore quatre fois les jours qui suivent, ce qui devient un peu inquiétant. Surtout que je ressens une fatigue énorme.

— Vous êtes enceinte, m'annonce le médecin sur le ton des bonnes nouvelles.

Je réplique, déroutée :

— Quoi?
— Eh bien, vous allez avoir un bébé, madame! À quelle date avez-vous eu vos règles la dernière fois?
— Euh… je ne me souviens pas exactement. En fait, ça doit faire cinq ou six semaines. Je ne m'étais même pas rendu compte du retard.
— Vous voulez le garder, cet enfant? questionne le médecin devant mon air ahuri.
— C'est si soudain! Je ne sais pas…
— Vous êtes avec le père?
— Oui, mais… enfin, si on peut considérer qu'on est avec quelqu'un qui habite en Norvège!
— Je vois. Écoutez, vous avez quelques semaines devant vous pour prendre votre décision. Prenez le temps de sentir votre désir et de décider.

Je suis ébranlée et émerveillée à la fois. Ce n'est